Autorenb

*Herausgeg*
*Heinz Ludwig Arnold und Ernst-Peter Wieckenberg*

## Über den Verfasser

Jan Knopf, geb. 1944, studierte Deutsche Philologie, Geschichte und Philosophie in Göttingen. Dort promovierte er 1972. Er ist Akademischer Rat am Institut für Literaturwissenschaft der Universität Karlsruhe. Veröffentlichungen: Geschichten zur Geschichte. Kritische Tradition des „Volkstümlichen" in den Kalendergeschichten Hebels und Brechts. Stuttgart 1973. – Bertolt Brecht. Ein kritischer Forschungsbericht. Frankfurt a. M. 1974. – Konkrete Reflexion. Festschrift für Hermann Wein (Hrsg. mit Jan M. Broekman). Den Haag 1975. – Außerdem Aufsätze über Prosa der Klassik, Nietzsche, Thomas Mann, Brecht, Hanns Eisler.

Jan Knopf

# Friedrich Dürrenmatt

Verlag C. H. Beck

Verlag edition text + kritik

Die ‚Autorenbücher‘ sind eine Gemeinschaftsproduktion
der Verlage C. H. Beck und edition text + kritik

*CIP-Kurztitelaufnahme der Deutschen Bibliothek*

*Knopf, Jan*
Friedrich Dürrenmatt;
   (Autorenbücher; 3)
   ISBN 3 406 06265 2

ISBN 3 406 06265 2

Umschlagentwurf von Dieter Vollendorf, München
Foto: Verlags AG ,,Die Arche“, Zürich
© C. H. Beck'sche Verlagsbuchhandlung (Oscar Beck), München 1976
Satz und Druck: C. H. Beck'sche Buchdruckerei, Nördlingen
Printed in Germany

# Inhalt

# I. Vorbemerkung

Neben Max Frisch, Samuel Beckett und Eugène Ionesco zählt Friedrich Dürrenmatt bereits zu seinen Lebzeiten zu den Klassikern, zu den Klassikern der Moderne zwar, doch aber mit sicherem Platz im Lektürekanon von Schule und Hochschule. Klassiker zu sein, bedeutet jene Würde und jene Größe angesetzt zu haben, die das dichterische Wort unangreifbar, das Werk zum Hort der Bildung machen, und es bedeutet, wie Max Frisch es gegenüber Bertolt Brecht formuliert hat, von durchschlagender Wirkungslosigkeit zu sein. Die Aktualität besteht nurmehr darin, Aphorismen, Sentenzen und immergültige Weisheiten zu liefern. Es beginnt die Einordnung: die Werke werden rubriziert, die Provokationen und Fragwürdigkeiten getilgt, der gemeinsame Nenner wird gesucht und gefunden: War er ein Pessimist oder ein Nihilist, besang er nicht eigentlich das Chaos und die Sinnlosigkeit der Welt, oder war er am Ende doch ein theologischer Schriftsteller? – Der Streit um die endgültige Klassifizierung hat begonnen, als sei der, um den es geht, schon tot.

Mißtrauend der ungeheuren Befriedigung, die sich einstellt, wenn alles auf einen Nenner gebracht ist, plädiert der vorliegende Bericht über das Leben und Werk des Stückeschreibers Friedrich Dürrenmatt für Vieldeutigkeit, Komplexität. Zu berichten ist von einem Schriftsteller, dessen Gesamtwerk noch aussteht, über den es nur wenige und wenig verläßliche Zeugnisse gibt, der sich selbst gern zu Werk und Person geäußert hat – aber höchst widersprüchlich, wenig festlegbar und jeder Festlegung aus dem Weg gehend, der das Paradox liebt, sein Werk als provokativ versteht und provoziert hat, der sich der Politik, der Ideologie verweigert, zugleich aber sein Werk politisch versteht, der zunächst jeglichem Engagement aus dem Weg geht, dann aber doch Partei ergreift. Zu berichten ist über Leben und Werk eines Autors, dem die Würde, sich zu verändern, noch zusteht, der sich im Laufe seines bisherigen Lebens verändert hat, weil er mit seinem Werk auf die Zeit reagiert und versucht, ihr den Spiegel vorzuhalten, indem er Gegenentwürfe formuliert, die sich auf das Gegebene nicht einlassen und Alternativen zeigen. Zu meiden war daher eine Darstellungsweise, die das Werk, sei es nach Gattungen, sei es chronologisch geordnet, isoliert, und zu suchen war eine Art der Darstellung, die die Werke in ihre Zeit zurückstellt, sie in der Geschichte beschreibt und sie damit nicht nur als Dokumente eines Lebens, sondern auch der Zeit würdigt.

Der Bericht berücksichtigt nicht nur das poetische Werk Dürrenmatts, er schließt auch die Reflexionen über die Kunst, aber auch die Schriften zum Tage, zur Lektüre, zur Politik und Gesellschaft und zur Wissenschaft ein, und zwar soweit sie publiziert, also zugänglich und nachprüfbar sind. Die jeweiligen zeitgenössischen Themen waren so weit aufzunehmen, als sie für das Leben und Werk Dürrenmatts wichtig geworden sind, und es waren die Widersprüche zu zeigen, die ein unabgeschlossenes Leben hinterläßt.

# II. Beschreibungen des Untergangs

*Die schriftstellerischen Anfänge seit 1943*

,,Als Resultat seiner Umwelt hat man sich zur Umwelt zu bekennen, doch prägen sich die entscheidenden Eindrücke in der Jugend ein, das Grausen blieb, das mich erfaßte, wenn der Gemüsemann in seinem kleinen Laden unter dem Theatersaal mit seinem handlosen Arm einen Salatkopf auseinanderschob. Solche Eindrücke formen uns, was später kommt, trifft schon mit Vorgeformtem zusammen, wird schon nach einem bestimmten Schema verarbeitet, zu Vorhandenem einverleibt, und die Erzählungen, denen man als Kind lauschte, sind entscheidender als die Einflüsse der Literatur. Rückblickend wird es uns deutlich.``[1] Dürrenmatt schrieb diese Sätze in einem Rückblick 1965, der ,Dokument' überschrieben ist. Das Bekenntnis zur prägenden Kraft der Umwelt, die den Menschen als Resultat erscheinen lasse, ist nur scheinbar: das entgegensetzende ,,doch`` nimmt es zurück. Denn es heißt, daß die entscheidenden Eindrücke bereits in der Jugend gesammelt würden, die zwar Eindrücke der Umwelt sind, denen aber die spätere Umwelt offenbar nur noch wenig hinzuzusetzen vermag. Die Zurücknahme macht einen entscheidenden Wandel der Person in späteren Jahren unmöglich; rückblickend ergibt sich immer mehr, daß der Ursprung, daß das Herkommen ,,recht`` behält, daß es den Menschen fixiert. Spätere Umwelten können die angelegte Bestimmung nur noch bestätigen und vertiefen; und Dürrenmatt liefert im ,Dokument' den bestätigenden Rückblick gleich mit.

Eine solche Ansicht stellt die Entwicklung eines Menschen unter das ,,vorbestimmte Schema``, welches das Ziel der Entwicklung bereits in sich hält. Auf diese Weise ein Leben zu beschreiben aber hieße, die reale Geschichte auszuschließen; denn Geschichte impliziert nicht nur die durch die Umwelt mögliche Wandlung – und zwar auch im radikalsten Sinn: eine Wandlung, die das Schema zu übersteigen, zu beseitigen vermag –, sondern auch die Unmöglichkeit eines vorbestimmten Ziels der Geschichte, das die Geschichte selbst überstiege und also an ihr Ende brächte, wie Dürrenmatts „Zu-Ende-Denken" der Geschichte in der „schlimmstmöglichen Wendung". Mit Dürrenmatts Überzeugung Geschichte, d. h. seine Biographie, zu schreiben, hieße, mit seinem Blick unter Benutzung der selbstgelieferten „Dokumente" rückblickend die eigenen Aussagen über den prägenden Einfluß der Jugend in Leben und Werk zu bestätigen.

So ließe sich die Lebensbeschreibung beginnen mit der verspäteten Geburt des kleinen Fritz (wie er von den Eltern genannt wurde). Und da dies der erste, entscheidend prägende Einfluß war, die erste Bekanntschaft mit der Umwelt, war die Folge, daß Fritz auch später immer wieder zu spät kam. Oder: da ist der Gemüsemann mit seinem handlosen Arm, der den Salatkopf auseinanderschiebt: ist das nicht schon im Keim die groteske Welt des Dramatikers, die Welt der Krüppel, Außenseiter und Entstellten jeder Art? Oder: ich begänne mit jener Beschreibung des Dorfes, Konolfingen, das ihn „hervorbrachte"; ich betonte, daß der „Mutterschoß des Dorfs"[2] ihn nie losließ, obwohl sich die Welt des Dorfs mit der Welt der Erfahrung und Überlieferung mischte, „dem Draußen, der Geschichte und den Sagen, die gleich wirklich waren".[3] Auch ließe sich sein Leben nach dem „grotesken Werk" stilisieren, indem man die Ereignisse aus dem Leben sammelte unter dem Titel „makabre Begebenheiten begleiten seinen Lebenslauf".[4] Oder: es ließe sich schließlich auch die Überzeugung des Autors zueigen machen, nach der die eigentliche Biographie eines Dichters in seinen Werken ruhe und also auf alles sogenannte Äußerliche zu verzichten sei; ich reihte dann Werkbeschreibung an Werkbeschreibung, teils chronologisch, teils nach Gattungen geordnet, und verlöre die Geschichte aus dem Blick.

Solche Berichte über Leben und Werk eines Autors sind geschrieben worden (wie auch alle genannten Beispiele der Literatur über Dürrenmatt entstammen), und sie werden sicherlich auch weiterhin geschrieben werden. Jedoch kann Literaturgeschichte auf die Dauer ihre Aufgabe nicht erfüllen, wenn sie einfühlend nachvollzieht, was der Rückblick des Autors bereits vorgezeichnet hat. Statt sie zu wiederholen, sollte Literaturgeschichte die Schemata lieber durchsichtig machen und in Frage stellen: darin liegt die Möglichkeit ihrer Objektivität. Nicht Klatschgeschichten oder isolierte Werkinterpretationen sollten ihre Aufgabe sein, sondern die Beschreibung eines Lebens und Werks, das sich in der Geschichte vollzog, das auf sie reagierte und mit ihr agierte.

Friedrich Dürrenmatt wurde am 5. Januar 1921 als erstes Kind des protestantischen Pfarrers Reinhold Dürrenmatt und seiner Ehefrau Hulda geb. Zimmermann geboren. Trotz Dürrenmatts späterem Bekenntnis zu einem streitbaren Protestantismus – ,,Ich bin ein Protestant und protestiere"[5] – haben die bisherigen Lebensbeschreibungen und auch Dürrenmatt selbst, soweit er sich öffentlich äußerte, den Einfluß des Elternhauses nie betont; sie hielten sich vielmehr auf beim dichtenden Großvater Ulrich Dürrenmatt, der als Politiker Verse, wie die folgenden, hinterlassen hat: ,,Hab oft im Kreise der Lieben / Im grünen Sessel geruht / Und mir ein Taggeld erschlafen, / Und alles war hübsch und gut."[6] Mag der Enkel vom Großvater auch das Talent zur Satire geerbt haben, so zog es ihn doch weder zu solch flottem Verseschmieden noch gar zur Politik (jedenfalls zunächst nicht). Konkrete Politik soll ihm schon früh, wie er sagt, zu abstrakt, bilderlos gewesen sein, und Abstimmungen, so betont die Literatur über ihn, verweigerte er sich. Statt mit Politik, sei es auch die des Dorfs, befaßte sich der Junge mit Mythen, Sagen und Heldengesängen. Das Entfernte sei ihm, wie er berichtet, wirksamer als das Nahe gewesen: gerade dies sei ihm zu bilderlos, zu wenig anschaulich gewesen, wohingegen das Entfernte, Weite sich im Rückblick, den gewohnten Sinn umkehrend, als das Konkrete, das Unmittelbare erwiesen habe. Das aber ist schon Deutung des Autors.

Die Grundschule absolvierte Dürrenmatt in Konolfingen bis

1933. Nach einem beliebten Schema für Schriftsteller sagt man ihm nach, nur ein mittelmäßiger Schüler, aber ein guter Mogler gewesen zu sein; jedoch existiert eine erzählenswerte Anekdote, wie z. B. von Brecht, übers Schulleben nicht. Berichtet wird, daß Fritz im Pfarrgarten zum Kampf gegen Türken und andere Ungläubige angetreten sei, daß er gern Fußball gespielt habe (noch heute soll er im Fernsehen, komme, was wolle, keine Übertragung auslassen) und daß er mit Marc, dessen Nachname wie der von allen Komparsen der Weltgeschichte verschwiegen wird, in den Obstbäumen herumgeklettert sei. Nicht berichtet wird, daß der Junge wohl mindestens einmal in der Woche die väterliche Predigt besucht haben und auch sonst dem Pfarrleben ausgesetzt gewesen sein wird. Eine nicht ungewöhnliche Jugend also.

Als die Nationalsozialisten in Deutschland die Macht übernahmen und sich in der Schweiz die Bemühungen verstärkten, die Unabhängigkeit zu erhalten, besuchte Dürrenmatt die Sekundarschule im benachbarten Großhöchstetten. 1935 dann siedelte die Familie nach Bern über, wo der Vater Geistlicher am Salemspital wurde. Was der Übersiedlung konkret vorausgegangen ist und was ihr folgte, läßt sich aus dem vorliegenden Material nur schwer erschließen. Dürrenmatt spricht im ,Dokument' davon, daß ihm damals die ,,sozialen Krisen, die Bankzusammenbrüche, bei denen die Eltern ihr Vermögen verloren, die Bemühungen um Frieden, das Aufkommen der Nazis''[7] zu unbestimmt, zu bilderlos gewesen seien. Die Auswirkungen der Weltwirtschaftskrise trafen die Schweiz in den Jahren 1935–37 am schwersten. Der Faschismus in Deutschland veranlaßte die Schweiz, die sich 1920 zur sogenannten differenzierten Neutralität entschlossen hatte und dem Völkerbund beigetreten war, sich wieder in die ,,integrale Neutralität'' zurückzuziehen, und das heißt, sich auf sich selbst zu besinnen. Gegen den deutschen Zentralismus setzte man das Prinzip des Föderalismus, in dem man zugleich den Garanten des Friedens sah; durch die Betonung der Mehrstämmigkeit glaubte die Schweiz dem Faschismus eine humane Alternative gegenüberzustellen. Der ,,Anschluß" Österreichs 1938 bestärkte die Bestrebungen nach Selbstbehauptung gegenüber den Kräften, die durchaus, ans „Europäergefühl" der Schweizer appellierend, sich auch dem nationalistischen Deutschland anschließen wollten, in dem sie „neu-europäische" Bestrebungen verwirklicht sahen. Je mehr jedoch die deutsche Propaganda im Namen Europas sprach und doch nur sich selbst meinte, desto mehr betonten die Schweizer ihren europäischen Charakter als Alternative: „Politisch wunschlos, sind wir im Laufe von Jahrhunderten geistig und wirtschaftlich Weltbürger geworden [...]. Unser Menschheitsideal wird nicht durch die Meeresküste begrenzt. [...] Die Universalität und das Menschheitsideal sind die lebensnotwendigen Kompensationen unserer Kleinstaatlichkeit und unserer Neutralität."[8] Wenn also die Schweiz auch vom „Anschluß" verschont blieb, so wurde sie doch in die Auseinandersetzungen im Nachbarstaat hineingezogen, und sie reagierte darauf, indem sie das Bewußtsein von Universalität und Neutralität bestärkte.

Inwieweit sich Dürrenmatt die Schweizer Eigenschaften zu dieser Zeit zu eigen machte, läßt sich nicht bestimmt ausmachen; bekannt ist, daß er vor allem die Expressionisten las und daß sie ihm Eindruck machten; auch seine schriftstellerischen Anfänge sind von dieser Lektüre bestimmt, vom Menschheitspathos, von Abstraktheit, Abstinenz, von politischer Unmittelbarkeit, aber dann auch von Untergangsstimmung und der Hoffnung auf eine neue Zeit, einen neuen Menschen.

Bis 1941 besuchte Dürrenmatt das Gymnasium in Bern. Nach der Reifeprüfung erhoffte der Vater ein Studium der Philologie; in Dürrenmatts Kopf jedoch spukte die Malerei, hatte er doch nach einem Unfall, dessen mit ihm verbundene Muße ihn aufs Malen lenkte, einen Preis gewonnen. Wenn auch der schon berühmte Schriftsteller weiter dem Zeichnen und Malen nachhängt (worüber sich auch ein Kapitel schreiben ließe), so lassen doch seine publizierten Produkte keineswegs darauf schließen, daß er den späteren Beruf verfehlt hätte. Er zog nach Zürich, dem Wunsch des Vaters folgend, an den Lehrstuhl des sich zum berühmtesten Schweizer Nachkriegsgermanisten entwickelnden Emil Staiger, mit dem er bis heute, mehr ungewollt, verbunden geblieben ist. Wollte man Dürrenmatts Hochschulstudium in Sachen Philologie verkürzt und vergröbernd zusammenfassen, so ließe sich sagen: nachdem Dürrenmatt erfahren mußte, daß Staiger mehr Goethisch statt Deutsch sprach und nur eine heile Welt (die der Klassiker) verkündete, entschloß er sich, selbst Deutsch zu sprechen und dem Heil Staigers das Unheil Dürrenmatts entgegenzusetzen.

Der Überlieferung nach studierte er zuerst in Zürich, dann ab 1942, nach einer Krankheit, in Bern Philosophie, Literaturwissenschaft und Naturwissenschaften. Im Ganzen ist von zehn Semestern Philosophie die Rede, die aber bereits angefüllt sind mit den ersten Entwürfen und den ersten Werken. Zu meinen, der spätere Stückeschreiber habe ein entschiedenes Studium hinter sich gebracht (und sei dem Abschluß wirklich so nahe gewesen, wie er es später darstellt), wäre eine Überbewertung der Studienzeit; vor allem ist davor zu warnen, aus den naturwissenschaftlichen Studien zu viel Einblick in diese Disziplinen zu folgern. Tatsache ist, daß er an der Entwicklung der Naturwissenschaften mit Interesse teilnimmt und für sein Werk entsprechende Lösungen anzubieten versucht, Tatsache ist aber auch, daß er oft vage, falsche, unsinnige Vergleiche zieht oder etwa seine Physiker durchaus laienhafte ,,Gesetze" erfinden läßt. Überdies bringt das Studium offenbar seine bisher nicht abgelegte Abneigung gegen die Literaturwissenschaft (und später auch gegen die Literaturkritik überhaupt) mit sich, wobei er die eine Erfahrung mit Staiger zu verabsolutieren sich nicht scheut. Davon wird noch die Rede sein.

In Bern begann die ernst zu nehmende schriftstellerische Tätigkeit. 1943 entstanden, offenbar unter dem Bann der expressionistischen Lektüre, die ersten Erzählungen, die später, 1952, auch publiziert wurden, und zwar ,Weihnacht' und ,Der Folterknecht'. Wie die expressionistischen Vorbilder sind sie historisch schwer zu lokalisieren und reden vom Menschen ganz allgemein. In kurzen Sätzen wird, zweifellos Georg Heym u. a. folgend, die Topographie eines geschichtslosen Raums erstellt, der allein in sich bezüglich und bedeutsam ist, ohne Ausblicke auf die gesellschaftliche Wirklichkeit zu suchen. Ausgangs- und Endpunkt ist das entfremdete, vereinsamte Ich, dem die Beziehungen zur Welt verlorengegangen sind und das deshalb die Welt als beziehungslose in seinem Bewußtsein spiegelt. ‚Weihnacht' gestaltet den abwesenden, nicht zur Welt kommenden Gott; der ‚Folterknecht' beschreibt diese Welt als Folterkammer, die der Mensch auszuhalten hat. Der Folterknecht erscheint als der letzte, der häßlichste Mensch, der mit Gott die Rolle tauscht und am Ende, nun Gott als Folterknecht ausgeliefert, der eigenen Folter unterliegt. Neben Kierkegaard, über den Dürrenmatt eine Dissertation zu schreiben begonnen hatte, scheint mir hier vor allem auch Nietzsche als philosophischer Hintergrund zu stehen; in seinem ‚Zarathustra' taucht der häßlichste Mensch als der Gottestöter auf.[9] Ist bei Nietzsche der Tod Gottes die befreiende Tat des Menschen, mit der er sich selbst freisetzt und die „Hinterwelt", das Reich Gottes, abschafft, ist bei Nietzsche der auf den Gottestod folgende Nihilismus der „Untergang" des alten Menschen auf dem Weg zu einem neuen „Ja", so setzt bei Dürrenmatt der Nihilismus lediglich eine sinnlose, grausige Welt frei, an der der verstoßene Gott sich rächt. Die Abkehr von Gott bewirkt nicht Selbstbefreiung, sondern den Niedergang aller humanen Bindungen, allen verbindlichen Sinns.

Auch wenn Dürrenmatt die Politik der Zeit zu abstrakt gewesen sein mag, so sind doch seine frühen Geschichten Ausdruck der Zeit. Die Gestaltung eines menschengemachten Nihilismus und die Abkehr vom eigentlichen Sinn der Welt, der nicht von der Welt ist, ist Ausdruck bürgerlicher Ohnmacht und bürgerlichen Entsetzens über den sich in der Nachbarschaft abzeichnenden Niedergang der abendländischen Kultur. Der totale deutsche Faschismus wird als totaler Verlust des Himmels erfahren, als Verlust eines höheren Sinns für die Menschen.

Vorm Eindruck des Weltkriegs entsteht auch die erste Publikation am 25. 3. 1945 in der ‚Berner Tageszeitung': es handelt sich um die Erzählung ‚Der Alte', in der Dürrenmatt einen Schweizer Alptraum gestaltet. Die Neutralität des Landes wird im weltweiten Krieg verletzt, das bisher verschonte Land mit Krieg überzogen, und zwar durch eine fremde, mit modernsten Waffen ausgestattete Macht, in der unschwer der deutsche Faschismus zu erkennen ist, auch wenn Dürrenmatt solch direkte Parallelen ablehnte. Ein Aufstand gegen die Unterdrücker wird rücksichtslos und brutal niedergeschlagen. Eigentümlicherweise gilt der wachsende Haß der Unterdrückten nicht in erster Linie den Unterdrückern, sondern einer ,,Gestalt, die ganz im Hintergrund war, irgendwo im Unaufhellbaren [...], von der sie nichts wußten, als daß von ihr alle Schrecken der Hölle ausgingen, die sie erdulden mußten". Der Alte ist Symbolfigur des Nichts, die in dieser Erzählung durch eine junge Frau beseitigt wird. Auch dieser Erzählung fehlt die historische Konkretion. Dürrenmatt stellt nicht die realen gesellschaftlichen und politischen Wurzeln des Faschismus dar, er führt ihn vielmehr auf den Verlust des Himmels zurück, auf das Abweisen der möglichen Gottesgnade, d. h. auf einen Nihilismus, der nur durch die befreiende Tat eines ausgewählten Menschen im Auftrag des ganzen Volks rückgängig gemacht werden kann, und zwar ausdrücklich als Wiedereinsetzung des verlorenen Sinns. Dem Nihilismus unterliegen somit nicht nur die imperialistische Macht, die das neutrale Volk überfällt und unterdrückt, sondern auch das überfallene und also nur scheinbar unbeteiligte Volk, das sich ebenfalls von Gott entfremdet hat und so seine Strafe erfährt. Mit aller Vorsicht wird man hier bereits eine kritische Einstellung zum allzu selbstsicher postulierten Standpunkt der strikten Neutralität erkennen können, einer Neutralität, von der ein anderer Schweizer Schriftsteller, Walter Matthias Diggelmann, später mutmaßte, sie sei nur erhalten geblieben, weil der deutsche Faschismus den Schweizern zu grobschlächtig, zu unfein gewesen sei.[10]

Dürrenmatt blieb bis 1946 in Bern. Nach eigenen Worten wechselte er ,,nach zehn Semestern Philosophie ohne akademischen Abschluß gleich ins Komödienfach" über.[11] In Wirklichkeit wird die erste Komödie bereits 1943 entworfen und zum Teil ausgeführt. Sie ist bis heute nicht veröffentlicht und nur

Eingeweihten zugänglich gewesen (zu denen ich nicht gehöre, weshalb ich also kein Wort darüber verlieren kann). Die zweite Komödie wird 1945 im Juli begonnen und im März 1946 abgeschlossen. Sie ist auch das erste Stück, das aufgeführt wird, das Wiedertäuferdrama ‚Es steht geschrieben'. Es nimmt zwar einen historischen Stoff auf, die Wiedertäuferbewegung in Münster/Westfalen in den Jahren 1533–1536, will aber keineswegs Geschichte schreiben. Gezeigt wird der Aufstieg und Fall der Bewegung in der Person des falschen Propheten Jan Bockelson, der aus dem Kehrricht (angeblich vom Erzengel Gabriel fallengelassen) sich zum König der Wiedertäufer erhebt, um am Ende wieder, diesmal gerädert, im Kehrricht zu landen: die Straßenkehrer markieren so auch Anfang und Ende des Stücks. Kontrapunktisch ist dem Aufstieg Bockelsons der ,,Fall", d. h. der äußere Niedergang, des Reichen Knipperdollinck zugeordnet, der als einziger das ,,Es steht geschrieben" ernst nimmt, dem weltlichen Reichtum entsagt und dem göttlichen Wort nachlebt. Treffen beide zu Beginn des Stücks zusammen, um die Rollen zu tauschen – Bockelson übernimmt Knipperdollincks Reichtum für seinen persönlichen Aufstieg, Knipperdollinck übernimmt von Bockelson die wahre Lehre, das Wort Gottes, für seinen irdischen Abstieg –, so treffen sie am Ende in der berüchtigten Tanzszene wieder zusammen: Bockelson und Knipperdollinck (der den falschen Propheten nicht zur Rechenschaft zieht) tanzen auf dem Dachfirst, um so die irdische Narrheit und Vergänglichkeit ihres Lebens handgreiflich vor Augen zu führen, währenddessen die Stadt von den verbündeten katholischen und protestantischen Truppen besetzt wird. Bockelson und Knipperdollinck – so die Schlußszene – kommen auf dem Rad zu Tode, Knipperdollinck freilich mit der Aussicht auf Gnade.

Es ist nicht verwunderlich, daß das bürgerliche Publikum der Uraufführung in Zürich am 19. 4. 1947, gewöhnt, das nur äußerlich Gemeinte als eigentlichen Sinn mißzuverstehen, sich über das Stück entsetzte. Hatte es zunächst Sätze wie: ,,Der eine bewundert in den Nächten den Busen seiner Frau und der andere füllt Löcher in der Stadtmauer aus"[12] über sich ergehen lassen müssen, Lästerungen, Grob- und Derbheiten, so fühlte es sich durch die Tanzszene vollends düpiert. In Dürrenmatts Geschichte geht so die erste Aufführung eines seiner Stücke als Theaterskandal ein, ein Skandal, der vom Autor rückblickend freilich als sehr fruchtbar angesehen wird; 1969 sagte er: „Ich verließ die Universität, ohne meine Studien abgeschlossen zu haben, und mein erstes Stück verursachte einen Skandal. Von diesem glücklichen Start lebe ich noch heute: Die Zuschauer pfiffen, statt zu gähnen."[13]

Das bürgerliche Publikum jedoch bemerkte nicht, daß die scheinbar so unzüchtigen und nihilistischen Szenen des Stücks nur Äußerlichkeiten darstellten, hinter denen sich genau jener Unverstand vor der jüngsten Vergangenheit, vor ihren Gründen und ihren Auswüchsen, verbarg, der es selbst angesichts des Untergangs zur Lektüre Kafkas trieb, zur wortlosen Geste des Nichtverstehens. Während das westdeutsche Bürgertum nach den leidvollen und unfaßbaren Erfahrungen des Hitler-Reichs sich der Geschichtslosigkeit verschrieb, meinend, der Nationalsozialismus habe, indem er deutsche Tradition korrumpierte, Geschichte an sich beschmutzt, und wieder da anknüpfte, wo der Nationalsozialismus begonnen hatte, als sei gar nichts geschehen, die „Vergangenheit bewältigend" – der Existentialismus (die Franzosen: Sartre, Camus, sowie Heidegger), wurde zur herrschenden Philosophie; die Literatur verschrieb sich einem falsch verstandenen Kafka, der wieder groß in Mode kam; der Expressionismus erlebte eine Neuauflage, etwa in Borcherts Stück ‚Draußen vor der Tür' –, so bemühte sich der Verfasser des so bürgerschrecklichen Stücks, gleich zu Beginn Geschichtslosigkeit und Zeitlosigkeit zu versichern. Das Stück, so beteuert er, gebe nicht mehr „als einige dürftige Noten und Farben zu einer kunterbunten Welt, die gestern genauso war wie heute und morgen", und er hält den Leser im Vorwort an, „der Absicht des Verfassers entsprechender, die mehr zufälligen Parallelen vorsichtig zu ziehen".[14] Es hieße, es sich zu einfach zu machen und auf mögliche Objektivierbarkeit zu verzichten, wenn man sich die Worte des Verfassers zu eigen machte und sagte, wie

Manfred Durzak: „Der historische Analogieschluß wird generell zurückgewiesen. Ja, man könnte sogar noch weitergehen und sagen: Jeglicher Schluß, der aus der dramatischen Vergegenwärtigung des historischen Stoffes gezogen wird, ist irrig."[15]

Dürrenmatt hat immer wieder versucht, durch Kommentare, Vor- und Nachworte, ja in Bühnenanweisungen und Anmerkungen, seiner entschiedenen Abneigung gegen die Literaturkritiker folgend, seinen Stücken die Deutung gleich mitzugeben, sich das Monopol der Auslegung zu sichern, als verstünde nur der Verfasser sein Werk angemessen. Sich davon zu lösen, den bequemen Handzettel der Interpretation zu verschmähen, ermöglicht es, über die subjektive Intention des Autors hinaus zu einer am Text nachprüfbaren und in erster Linie ihm folgenden objektiven Beschreibung zu gelangen. Ziehe ich also irrige, aber notwendige Schlüsse. Das Drama wurde angesichts des Untergangs geschrieben; 1952 formuliert es Dürrenmatt sogar programmatisch: „Ich bin verschont geblieben, aber ich beschreibe den Untergang."[16] Beschrieben wird im Wiedertäuferdrama der Versuch, die Welt nach einem bestimmten (wohlgemeinten) Muster einzurichten. Der Versuch führt einerseits zu grenzenloser menschlicher Hybris, indem der Mensch glaubt, er könne die Welt nach seinem Muster vollkommen einrichten, andererseits zu grenzenlosem menschlichen Elend, da die Hybris Unmenschlichkeit, die für Dürrenmatt gerade „menschlich, allzumenschlich" ist, nach sich zieht, indem sie für die Errichtung des Musters bedenkenlos die Menschen beseitigt und dabei behauptet, doch nur fürs Wohl aller zu sorgen. „Weil ihr euch nicht besiegen könnt, wollt ihr die Welt besiegen", sagt der katholische, aber eher weise Bischof, der einzige, der die menschliche Sinnlosigkeit des Planens durchschaut.[17] Einzig derjenige, der sich selbst zu besiegen weiß – Knipperdollinck –, ist auch fähig, die mögliche Gnade zu erfassen, eine Gnade, die nicht von dieser Welt ist.

Auch wenn man die Parallelität nicht überbetonen will: das vom Autor sehr wohl ungeschichtlich intendierte Stück zeigt durchaus, daß es sich mit dem Nationalsozialismus auseinandersetzt; wobei nicht gesagt sein soll, daß die Wiedertäuferbewegung der Nationalsozialismus im Modell *ist*. Menschliche Anmaßung, Hybris will der Welt das Heil bringen, die Welt nach vorbestimmtem Plan einrichten; sie hat die entsetzlichsten Auswirkungen, weil die Welt nicht nach menschlichem Plan einzurichten ist: ihm steht der Mensch selbst im Weg. Gezeigt wird der Aufstieg eines kleinen Mannes, eines Komödianten, der sich als Auserwählter glaubt, seine Mitbürger beschwatzt, wortreich, der sich rücksichtslos auf Kosten anderer bereichert, zu Macht gekommen, eine Diktatur errichtet und schließlich von verbündeten Mächten beseitigt wird.

Was die Kritiker an dem Stück als pubertär, nihilistisch, zynisch und deplaziert empfanden, war der mit drastischen Details aufgeputzte Stoff, der in kraftvoller, expressiver Sprache vorgetragen wurde; garniert ist das Ganze mit theatralischen Raffinements, desillusionierender Direktheit und auch einem kräftigen Schuß Selbstironie des Autors, die dem Stück jenen verbindlichen Ernst nehmen, den das Publikum offenbar erwartete. Thornton Wilders Vorbild, dessen ‚Wir sind noch einmal davongekommen' noch im Krieg in Zürich deutsch uraufgeführt worden war, war hier von Dürrenmatt originär aufgenommen worden. Das Stück betont ständig, daß das gespielte Geschehen nur Bühnengeschehen ist, daß also nichts abgebildet wird, sondern das Spiel sich selbst als Spiel vorführt und außer der Spielzeit keine Zeit kennt. Die Bühnenfiguren verfügen über Vergangenheit und Zukunft, sie kennen den Ablauf der Geschichte: „Wir stehen erst in der Mitte der Weltgeschichte! Eben ist das dunkle Mittelalter zu Ende gegangen! Bedenkt, was wir noch zu schuften haben! Vor uns, in der neblichten Zukunft, liegt der ganze Dreißigjährige Krieg, der Erbfolgekrieg, der Siebenjährige Krieg, die Revolution, Napoleon, der Deutsch-Französische Krieg, der Erste Weltkrieg, Hitler, der Zweite Weltkrieg, die Atombombe, der dritte, vierte, fünfte, sechste, siebente, achte, neunte, zehnte, elfte, zwölfte Weltkrieg! Da sind Kinder nötig, meine Damen und Herren, da sind Leichen nötig!"[18] Geschichte bleibt, sobald die Menschen meinen, die Welt besiegen zu können – obwohl sie doch danach streben, eine menschlichere Geschichte, eine bessere Welt einzurichten –, eine Abfolge von sinnlosen Kriegen. Es gibt keine Überschreitung des mörderischen Schemas, keine Aussicht auf eine bessere Zukunft. Angesichts des gerade untergegangenen dunklen Mittelalters des Nazireichs bietet Dürrenmatt seinem Publikum die Aussicht auf weitere Kriege, und er trifft damit genaugenommen nichts anderes als den herrschenden Pessimismus des Publikums, das sich vorm schrecklichen Realismus der Zeit in den Surrealismus flüchtet, der nach Fritz Martini Ausdruck des Bedürfnisses ist, „in den Sujets eine Distanz von der Realität, in den künstlerischen Formen Sicherungen zu gewinnen".[19]

Der theologische Aspekt des Stücks liegt darin, daß es den Menschen als möglichen Sinnträger und Sinngeber negiert und allen den Menschen möglichen Sinn ins individuelle Erlebnis der Gnade legt, ins Aufscheinen persönlichen Sinns, indem sich der Mensch auf sich selbst besinnt, sich selbst besiegt und nicht die Welt, die er wieder einmal zerstört hat, obwohl er doch vielleicht das Gute wollte.

In Bern entstanden die übrigen Erzählungen der ‚Stadt', wie der 1952 publizierte Sammelband überschrieben ist (außer der Erzählung ‚Der Tunnel', die aus den fünfziger Jahren stammt). Es sind: ‚Das Bild des Sisyphos', ‚Der Theaterdirektor', ‚Die Falle', ‚Die Stadt' und ‚Pilatus'. Bemerkenswert für Dürrenmatts Entwicklung und für die Zeit ihrer Entstehung scheinen mir besonders zwei dieser Erzählungen zu sein. Die erste ist der 1945 entstandene ‚Theaterdirektor'. Dort wird im Modell vorgeführt, wie der Theaterdirektor, der ‚Führer', versucht, sein Publikum, sein Volk sozusagen, durch vollendete Planung zu beherrschen, eine vollkommene Diktatur zu errichten. Alle Vorgänge des Bühnengeschehens (als Weltgeschehen) stehen „unter einem ungeheuerlichen Zwange",[20] die Schauspieler werden zu funktionierenden und bewußtlos agierenden Marionetten getrimmt. Nur eine Schauspielerin bleibt bei ihrer alten, von ihrer Persönlichkeit bestimmten Darstellungskunst, eine

Kunst, die von Kollegen und Publikum als unvollkommen, wirr belacht wird. In einem regelrechten Bühnenweihfestspiel wird unter dem Gejohle des bewußtlosen und auf die neue Kunst getrimmten Publikums die Schauspielerin, es läßt sich nicht anders sagen: geschlachtet. Dem Rest der Persönlichkeit und der Freiheit wird der Garaus gemacht.

Die Erzählung zeigt am alten Gemeinplatz von der Bühne als Welt die totale Funktionalisierung der Welt und des Menschen. Der ‚Wir‘-Erzähler, der das Geschehen aus der Distanz beobachtet (der neutrale Schweizer Standpunkt), formuliert die Frage nach den Gründen für die Ohnmacht des Publikums: ,,Wir dachten an einen bösen Trieb, der die Menschen zwingt, ihre Mörder aufzusuchen, um sich ihnen auszuliefern, denn jene Veränderungen enthüllten, daß er [der Theaterdirektor] die Freiheit zu untergraben bestrebt war, indem er deren Unmöglichkeit nachwies, so daß seine Kunst eine verwegene Attacke auf den Sinn der Menschheit war. Diese Absicht führte ihn dazu, jedes Zufällige auszuschalten und alles auf das Peinlichste zu begründen, so daß die Vorgänge auf der Bühne unter einem ungeheuerlichen Zwange standen.‘‘[21] Zufälligkeit, Freiheit und Menschensinn erscheinen in diesen Worten als eine Einheit. Der Menschensinn bleibt nur gewahrt, wenn den Menschen Freiheit gegönnt ist, und Freiheit ist nur möglich, wenn der Zufall gesichert bleibt, und das heißt, wenn nicht alles begründbar, festlegbar wird, wenn Spontaneität, Kreativität, wie sie die Schauspielerin verkörpert, gewährleistet bleiben. Damit wird die Erzählung nicht nur ein Beitrag zu Dürrenmatts Vorstellungen vom Theater (die Rolle des Zufälligen wird betont), vielmehr nimmt sie auch ein Thema auf, das in der deutschen Nachkriegszeit eine ungeheure Rolle gespielt hat. Nicht wenige waren nach dem Krieg geneigt, die Ursachen des Faschismus in Deutschland u. a. darauf zurückzuführen, daß Naturwissenschaften und Technik bereits die Gefahr einer totalen Ordnung in sich getragen hätten. So schreibt 1947 Walther Braune: ,,Der entleerte technische Mensch geriet in den Strudel des Irrationalismus. Er entzog sich der Forderung der Vernunft, sofern sie seine vitale Macht begrenzte, aber benutzte die Vernunft zugleich, um eine vernichtende Technik zu schaffen. Die *Dämonie des Irrationalismus* verband sich mit der Dämonie der Technik zu einem grauenvollen Werk der Zerstörung. Das war der Schritt vom technischen Jahrhundert zum tausendjährigen Reich." Und weiter heißt es: „Das *unberechenbare Vitale* kann beiseite gedrängt werden, aber es ist da. Ist das Verhaftetsein in der berechenbaren Wirklichkeit das eigentliche Leben, so bedarf es des ‚Sichauslebens', des Ausbrechens ins Triebhafte."[22] Der totale Rationalismus, das sogenannte „technische Jahrhundert", das unserer heutigen Erinnerung und Einschätzung nach erst mit dem Krieg richtig begonnen hat, kippt, wenn man die unberechenbare Vitalität, das Sichausleben der Menschen, ihre mögliche Freiheit mißachtet, in totalen Irrationalismus um. Das aber führt auch Dürrenmatts Erzählung vor, die im Theatermodell die Auslöschung des Menschlichen, des Schöpferischen durch die Einführung technischer Rationalität zeigt. Nach den Erfahrungen der Hitler-Diktatur setzt nun die Verteidigung des Unberechenbaren, Individuellen und Nicht-Verplanbaren ein.

Dürrenmatts ethische Begründung des Zufalls in der Freiheit trifft sich nicht nur mit Versuchen, die politischen Ursachen für die Naziherrschaft zu begründen, sondern auch mit einer geistigen Nachkriegsbewegung, die es als erwiesen ansah, und zwar gerade naturwissenschaftlich, daß es eine absolute, überall und immer gültige Gesetzmäßigkeit in der Natur nicht gibt. Vor allem die Geisteswissenschaften besannen sich auf die schon vor dem Krieg formulierte Kopenhagener Deutung der Unschärferelation Werner Heisenbergs, nach der es keine vom Beobachter unabhängige Erkenntnis gibt, der erkennende Mensch das Erkenntnisobjekt beeinflußt und es also keine unabhängig vom menschlichen Bewußtsein erkennbare objektive Natur (und natürlich auch Geschichte) gibt. Ernst Robert Curtius formulierte die Einsicht nach dem Krieg so: „Die neue Naturerkenntnis und die neue Geschichtserkenntnis des 20. Jahrhunderts arbeiten nicht gegeneinander, wie das in der Ära des mechanistischen Weltbildes der Fall war. In die Naturwissenschaft dringt der

Begriff der Freiheit ein, und sie ist wieder geöffnet für die Fragestellungen der Religion *(Max Planck)*."[23] Was Curtius 1947 in der Einleitung zu einem Buch schreibt, das die Kontinuität abendländisch-christlicher Tradition von der Antike bis zur Moderne nachweisen möchte, entspricht einer Position, wie sie Dürrenmatt in seinen frühen Werken formuliert und die auch für sein weiteres Werk bestimmend ist, indem es auf der Darstellung des Zufälligen, Nicht-Planbaren beharrt oder es in Modellen ex negativo beschwört.

Die Öffnung der Naturwissenschaften für den Freiheitsbegriff, die Öffnung der Kunst für den Zufall (keine tragische Notwendigkeit mehr, kein universal gültiges Ordnungsgefüge) und die Öffnung der Gesellschaft (im Westen) für die Individualität stellen sich in die Reihe der Bestrebungen, die durch den Nationalsozialismus verlorengegangene Mitte wieder neu aufzufüllen. Das Schlagwort vom ,,Verlust der Mitte" kam mit Hans Sedlmayrs gleichnamigem Buch von 1948 über die europäische bildende Kunst im 19. und 20. Jahrhundert auf; es trägt das Motto Pascals: ,,Die Mitte verlassen, heißt die Menschlichkeit verlassen." Das Schlagwort führte Jacob Steiner 1963 in die Dürrenmatt-Forschung ein, indem er es als ,,Schwund der Einheit einer Weltanschauung"[24] bei Dürrenmatt beschrieb. In diesem Zusammenhang scheint es mir angemessener zu sein, auf Sedlmayr selbst zu verweisen, der den Verlust der Mitte auf eine bewußte Absperrung des ,,modernen Menschen" gegen eine ,,obere Realität" (Transzendenz) zurückführt: der Mensch vertraut einzig auf sich, auf seine eigene Planung (und das ist ja auch Dürrenmatts Thema). Die bloß menschliche Planung hat nach Sedlmayr nicht nur eine ,,anorganische Wissenschaft" zur Folge, also Technisierung, sondern auch zugleich den modernen Kapitalismus. Die Industrialisierung auf Kosten der eigentlichen menschlichen Mitte sieht Sedlmayr als dynamischen Prozeß an, durch den im modernen Industriearbeiter ein ,,immer mehr anwachsender Menschentypus entsteht, der sein Leben lang nur mehr mit Anorganischem zu tun hat. Der Umbau der ganzen Gesellschaft vollzieht sich dann durch und im Hinblick auf diesen Typus und strebt danach, die Fixierung des Menschengeistes auf der anorganischen Stufe zu einer dauernden zu machen."[25]

Dürrenmatts distanziertes Protokoll des „Untergangs" führt wie Sedlmayr den unheilvollen geistigen Abfall auf die materielle Ursache der Technisierung, der radikalen Abkehr von allem Organischen zurück, die nicht nur alle individuelle Spontaneität vernichtet, sondern auch die buchstäbliche Zerstückelung des „alten Menschen" betreibt zugunsten eines funktionierenden Menschentypus. Gesucht wird weniger die Einheit einer Weltanschauung als vielmehr der ganze Mensch, der sich in mehr als nur Menschliches eingebunden weiß.

Die zweite Erzählung, die mir für den jungen Dürrenmatt wichtig erscheint, ist ‚Pilatus'. Sie nimmt den biblischen Stoff von der Verurteilung und Geißlung Christi durch Pilatus auf, und sie stellt Dürrenmatts zweite Prosapublikation dar. Wegen ihres religiösen Themas ist sie viel interpretiert, aber wenig verstanden worden. Christus wird vor Pilatus geführt; im Gegensatz zu seinen Zeitgenossen erkennt dieser sofort den Gott in ihm, erwartet dann aber auch von ihm, daß er sich wie ein Gott verhalte. So heißt es von der Geißelung: „Die Männer umschritten den Gott wie zum Tanz, berührten wie zum Spiel mit den schmalen Peitschen seinen Leib, um dann plötzlich in rasender Wut auf ihn einzuhauen, worauf sich die bleiernen Köpfe tief in den Leib des Gottes gruben, so daß sein Blut aus dem Fleisch brach, was ihn, der ruhig gesessen, mit unendlicher Qual erfüllte, da er im geheimen erwartet hatte, die Peitschen würden am Gott wie Marmor abgleiten."[26] Thema der Erzählung ist, daß Gott wirklich, mit allen Konsequenzen Mensch geworden ist, daß die Menschen dieses Menschsein (selbst wenn sie den Gott in ihm erkennen) nicht akzeptieren wollen. Dieser Gott ist kein heidnischer Gott, der Wunder tut, kein Marmorstandbild; vielmehr ist die Grenze zwischen Mensch und Gott aufgehoben, der Gott duldet mit und durch die Menschen. Die scheinbaren Blasphemien, die Dürrenmatt immer wieder vorgeworfen worden sind, die Grob- und Derbheiten, die Darstellung ohne Schminke, das Personal der Huren, Bettler, Zuhälter und Außenseiter, finden hier ihre Begründung; denn das Göttliche ist im Christentum, wie Dürrenmatt es versteht, kein Gegensatz zum Menschlichen, und also ist auch alles „Menschliche" darstellbar, keine Blasphemie, sondern gerade Ausdruck dieser Überzeugung, dieses Glaubens. Dürrenmatt wendet sich gegen die zelebrierte Weihe des Christlichen, gegen Prüderie, gegen Wohlanständigkeit, gegen Scheinmoral, wie sie das Christentum der Kirche vorlebt, kleinbürgerliche Prinzipien mit christlichen verwechselnd, und stellt dagegen die geschundene Leiblichkeit des Gottes, der eben kein reiner Marmor ist. Dürrenmatts Kunst ist antibürgerlich aus Christlichkeit: der saufende und rülpsende Nobelpreisträger Schwitter ist es, der bei Dürrenmatt aufersteht und dem Priester, der die Auferstehung mindestens einmal in der Woche verkündet, den Verstand und das Leben raubt. Daß die Freimütigkeit, mit der er tabuierte Themen aufgreift und gesellschaftliche Außenseiter zu Handlungsträgern macht, außerdem nicht unwesentlich dazu beiträgt, daß seine Werke kurzweiliger Prallheit nicht entbehren und wenigstens bis zum ‚Meteor' auch stofflich alle Reize bieten, sollte nicht verschwiegen sein.

Aus der Antibürgerlichkeit resultiert zweierlei: Dürrenmatt verschaffte sich damit den Ruf eines streitbaren, unzimperlichen und im Westen meist verrissenen Autors, und zugleich gelang es ihm mit ihr, gerade in der westlichen Gesellschaft, in der er ja lebt, wichtige gesellschaftliche Entwicklungen zu sehen und zur Darstellung zu bringen, so daß er sich im Osten den Namen eines zwar am Ende doch bürgerlichen, aber doch antiimperialistischen Gesellschaftskritikers erwerben konnte und dort auch mit Stücken Erfolg hatte, die im Westen durchaus auf Ablehnung stießen.[27]

Dürrenmatts Frühwerk zeigt sich bereits komplex, und es wäre zu einfach, ihn mit den anderen Schweizern einfach der Kontinuität des Bürgerlichen zuzuschlagen (wie es immer wieder geschieht), die im Zusammenhang mit den europäischen Literaturen von einem radikalen Bruch verschont geblieben und also nach dem Krieg entsprechend selbstbewußt hervorgetreten seien. Dürrenmatt zeigt sich doch stark berührt nicht nur vom unmittelbaren Geschehen, das er beobachtet, sondern auch von den Problemen, Fragen und Richtungen, die die Neuorientierung nach dem Krieg zur Voraussetzung haben. Zeigt sich sein Werk einerseits im Schweizer Zusammenhang, so nimmt es doch mit seiner Geschichtslosigkeit, seinem Pessimismus, dem „Verlust" der Mitte, der Suche nach einer neuen Freiheit an dem teil, was für die unmittelbarer Betroffenen Wirklichkeit gewesen ist. Dürrenmatts Werk ist davon nicht zu isolieren.

# III. Die Suche nach dem Standort

*Die Zeit wirtschaftlicher Unsicherheit und die Wende*
*zu zeitgenössischen Stoffen (1947–1951)*

Noch in Bern, im Sommer 1946, lernt Dürrenmatt Lotti Geißler aus Ins kennen, die in Bern eine Hörspielrolle einstudiert und in Basel das ‚Vreneli vom Thurnersee' filmt. Die erste Begegnung zwischen beiden soll, so erzählt es Lotti Geißler später, von der ‚Wurst' beherrscht gewesen sein, jener Geschichte, die Dürrenmatt damals zu allen unpassenden Gelegenheiten von sich gegeben hat: ein Mann ist angeklagt, seine Frau ermordet und dann verwurstet zu haben; als Corpus delicti liegt eine der makabren Würste dem Staatsanwalt vor, als die Verhandlung jedoch zuende ist, ist auch die Wurst verschwunden: der Staatsanwalt hat sie gedankenabwesend verzehrt.[28] Um die Kongruenz von Leben und Werk zu wahren, beschließt Dürrenmatt, der Malerei zu entsagen – wie der Malerin, mit der er vorher ‚halb und halb' verlobt gewesen sein soll –, sich der Dichtung endgültig zuzuwenden und zu heiraten. Rückblickend sagt er: ,,Die beiden Beschlüsse, die ich gefaßt hatte, schienen mir unzertrennlich zusammenzugehören. Ich wollte nicht nur meinen Beruf ändern, sondern mit der Heirat auch gleich beweisen, daß ich mich für fähig hielt, als Schriftsteller eine Familie zu unterhalten.''[29] Dieser Optimismus gründet sich auf das gerade abgeschlossene Theaterstück ‚Es steht geschrieben' und auf das Hörspiel ‚Der Doppelgänger', das Radio Bern damals allerdings nicht senden will. Ende 1946, als Dürrenmatt sein Studium aufgibt, heiraten Lotti und Fritz. Das Ehepaar zieht nach Basel und wohnt in vielzimmrigen alten Schulgebäuden, Fritz dem alten Hobby, der Astronomie, nachgehend, tagsüber die Zimmer mit skurrilen Fresken ausmalend und das neue Stück ‚Der Blinde' schreibend, Lotti dagegen hofft auf ein Engagement im Stadttheater.

Es ist die Zeit, die den Beginn des Kalten Kriegs markiert. Anfang 1947 scheitert in Moskau die Konferenz der Siegermächte und damit der letzte Versuch, eine Lösung für ganz Deutschland zu finden. Im März formuliert Präsident Truman seine Botschaft an den Senat, in der er die Eindämmung des Kommunismus und die wirtschaftliche, finanzielle und militärische Unterstützung der vom Kommunismus bedrohten Ländern fordert. Für die Westzonen Deutschlands endet die Zeit der unmittelbaren Abrechnung mit dem Nationalsozialismus, der Entnazifizierung; nunmehr ist die Politik darauf bedacht, daß die Zonen wirtschaftlich und politisch im antikommunistischen Sinn konsolidiert werden, als Bollwerke gegen den Kommunismus. Im September des Jahres formuliert der sowjetische Vertreter zur Gründung der ,,Kominform", Shdanow, die Zwei-Welten-Theorie, nach der die Welt in eine monopolkapitalistische-imperialistische westliche und eine sozialistisch-antiimperialistische östliche Hälfte aufgeteilt sei. 1948 löst die Währungsreform, die für die Westmächte die Grundlage für eine wirtschaftliche Gesundung der Westzonen darstellt, die Berlin-Blockade durch die Sowjets aus, die unmittelbarer Ausdruck für die Konfrontation Ost–West wird. Berlin wird, im Bewußtsein der Deutschen, ,,von einem Tag auf den anderen von einem Symbol des Preußentums und der Hitlerherrschaft zu einem Symbol der Freiheit".[30] 1949 entstehen die beiden deutschen Staaten.

Die Schweiz reagiert auf den weltpolitischen Konflikt mit erneuter Abkapselung, wie sie bereits während des Kriegs durchgeführt worden war. Dennoch kann von entschiedener Neutralität nicht die Rede sein, da der neue Konflikt auch in der Schweiz als Bedrohung ganz Westeuropas (zu dem sie sich nicht nur wirtschaftlich zählt) durch den Weltkommunismus aufgefaßt wird. Freilich bewirkt die Abkapselung – trotz der gemeinsamen ideologischen Grundlagen mit dem Westen –, daß der aufkommende Europa-Gedanke nicht als möglicher Schweizer Beitrag nach Westeuropa eingebracht wird. Die wirtschaftliche Verflechtung, die sich aus der Kleinheit des Landes, seiner zentralen Verkehrslage und aus dem Fehlen von Rohstoffen notwendig ergibt, bringt der Schweiz bis 1949 einen ersten, ungeahnten Konjunkturaufschwung ein, der durch die umfangreichen Kredite der USA an die westlichen Länder, vor allem die Westzonen in Deutschland, ermöglicht wird, aber auch auf die Kredite der Schweizer Banken zurückgeht, die ihren erheblichen Beitrag zur Konsolidierung der westdeutschen Wirtschaft leisten. Hinzu kommen ab 1948 die Mittel aus dem Marshall-Plan und die Gründung der Organisation für europäische wirtschaftliche Zusammenarbeit, der auch die Schweiz beitritt. Im Selbstverständnis der Schweizer stellt sich die Zeit unmittelbar nach dem Krieg so dar: ,,So trat die Schweiz, aufs Ganze gesehen, den Marsch in eine neue Zukunft bei Kriegsende mit abwehrender Gebärde an, auf sich selbst konzentriert, in mancher Beziehung lieber nach rückwärts als nach vorwärts schauend und oft die Dinge treiben lassend.``[31]

Dürrenmatt sieht die Vorgänge mit Schweizer Distanz, aber er sieht sie, und er kommentiert sie auch. Er notiert: ,,Das Peinlichste am jetzigen Weltkonflikt ist, daß er nicht ganz überzeugt.`` Oder: ,,Es gibt jetzt nichts Billigeres als den Pessimismus und nicht leicht etwas Fahrlässigeres als den Optimismus.`` Oder: ,,Das Beste an der heutigen Weltlage ist noch, daß die Schriftstellerei wieder anfängt, gefährlich zu werden.``[32] Diese Sätze hat Dürrenmatt 1947/48 geschrieben und damit seine Anteilnahme, auch wenn sie nicht übermäßig deutlich und konkret wird, am politischen Weltgeschehen dokumentiert, so daß einen Niederschlag der Anteilnahme in seinem Werk zu vermuten, keine eingebildete Sache sein muß. Dürrenmatts politische Hoffnung ist, daß auch die ,,Russen``, wie er sie weiterhin nennt, die Atombombe bauen und so das gewährleisten, was später das ,,Gleichgewicht des Schreckens`` heißen wird, den Frieden durch Abschreckung: ,,Wenn die Russen auch noch das Pulver erfinden, ist der Friede gesichert.``[33]

Dürrenmatt ist bestrebt, auch ideologisch das Gleichgewicht zu halten, und das heißt, weder dem sowjetischen Kommunismus, noch den westlichen Demokratien den Vorzug zu geben.

So schreibt er: ,,Leider ist die Ausbeutung schon lange nicht mehr das alleinige Vorrecht der Kapitalisten." Oder: ,,Es ist schon ein großes Kunststück, noch an den dogmatischen Marxismus zu glauben." Oder: ,,Ein Sowjeter kommt ebenso schwer ins Paradies wie ein Bankier in den Himmel."[34] Der sowjetische Kommunismus wird hier schon des verkappten Kapitalismus verdächtigt, eine These, die Dürrenmatt später noch oft vertreten wird, und zugleich werden seine negativen Seiten mit denen des Westens parallel gesetzt. Seine Kritik am Westen formuliert er in Sätzen wie ,,Ich bin eigentlich nur dann vom Weltuntergang überzeugt, wenn ich Zeitungen lese", ein Satz, der in seiner Vagheit doch kaum anders als an die Adresse konservativer westlicher Zeitungen gerichtet angesehen werden kann, die die Bolschewisten-Gefahr wortreich beschwören und den Untergang des Abendlandes wieder einmal erst in der Russengefahr sehen. Ein weiterer Satz: ,,Die Menschen unterscheiden sich darin von den Raubtieren, daß sie vor dem Morden noch beten.", ist zu konkretisieren mit dem Hinweis auf die Segnung des Atombombenflugzeugs für Hiroshima.[35] Und das zeigt, daß Dürrenmatt auch der Entwicklung der westlichen Welt skeptisch und distanziert gegenübersteht, eine Haltung, die freilich mit Pessimismus, eine Plakatierung, die so leicht bei der Hand ist, nicht zu verwechseln ist. Daß Dürrenmatt dennoch zur westlichen Welt gehört, steht außer Zweifel; da teilt er die ,,Neutralität" seines Landes, das sich zwar in der Außenpolitik nicht einseitig festlegt, wirtschaftlich und kulturell aber fest in Westeuropa verankert ist.

In diese Zeit fällt auch die erste – öffentlich zugängliche – Reflexion zur Dramatik. Dürrenmatt schreibt, wie in seinen politischen Kommentaren, Platitüden, Selbstverständliches, aber auch Erhellendes. Ein Satz wie ,,Im Drama muß alles Gegenwart werden" könnte bei Aristoteles abgeschrieben sein, und der Satz ,,Der Dramatiker sagt Menschen aus" erscheint unsinnig, es sei denn, man versteht ihn so, daß der dramatische Dichter nur durch die Menschen zu Wort kommt, die er gestaltet (aber das ist schon wieder eine Platitüde). Wichtiger dagegen sind Sätze wie ,,Wer eine Welt gebaut hat, braucht sie nicht zu deuten", oder: ,,Daß es im Drama unbedingt dramatisch zugehen muß, ist ein Vorurteil".[36] Der erste Satz meint weniger, daß der Schriftsteller ein unberufener Interpret der eigenen Werke sei (Dürrenmatt hält sich daran nicht), vielmehr daß Dramen zu schreiben heißt, Welten zu bauen, Welt-Modelle zu erstellen und nicht ,,Welt" zu deuten. Ein solcher Satz begründet theoretisch die Abwendung von der Mimesis, der Widerspiegelung der Wirklichkeit, und die Hinwendung zur theatralischen Eigenwelt, wie sie bereits in ,Es steht geschrieben' vorgeführt worden ist. Der zweite Satz trennt Drama und Dramatisches. Hier zuerst an Thornton Wilder zu denken oder gar an Brechts episches Theater, scheint mir weniger fruchtbar zu sein, als an Emil Staiger zu erinnern, der mit seinem 1946 publizierten Buch ,Grundbegriffe der Poetik'[37] diese Trennung zuerst programmatisch durchführt und nicht nur in der Literaturwissenschaft ein lebhaftes Echo hervorgerufen hat. Lyrisches, Episches und Dramatisches werden da als fundamentale anthropologische Begriffe eingeführt, als grundsätzliche menschliche Äußerungsmöglichkeiten, die alle mehr oder minder an jedem Kunstwerk beteiligt sind, wobei ,,die Verschiedenheit des Anteils die unübersehbare Fülle der historisch gewordenen Arten begründet", sei es nun Epik, Lyrik oder Dramatik.[38] Eben darauf läuft aber auch Dürrenmatts Satz hinaus.

Da die erste Aufführung eines seiner Stücke nicht den erwarteten Erfolg bringt – obwohl Dürrenmatt mit Kurt Horwitz, der ,Es steht geschrieben' in Zürich auf die Bühne gebracht hat, einen wichtigen Förderer und Freund gewonnen hat –, erscheint ihm als Rettung aus der sich notwendig einstellenden finanziellen Misere der 1948 schon dreiköpfig gewordenen Familie das Angebot von Walter Lesch, des Leiters des ,Cabaret Cornichon' in Basel, für 500 Franken im Monat drei Sketche pro Programm zu liefern. Dürrenmatt schreibt drei Sketche und ein Chanson für das Kabarett; ein Sketch handelt davon, daß ein ,,Professor mit einer Miniaturbombe erschien. Er durfte sie nicht fallen lassen. Das Schicksal der Welt stand auf des Messers Schneide.

Daß der Gelehrte [. . .] das Bömbchen schließlich im Busenausschnitt einer Dame versteckte, stellte lediglich eine zusätzliche Pointe dar.“[39] Kabarett machen heißt, sich an den Fragen und Aufregungen der Zeit zu orientieren, zu versuchen, die politisch und gesellschaftlich brisanten Themen zu formulieren. Wenn auch die Zusammenarbeit mit dem ‚Cornichon‘ nicht lange dauerte, so zeigt sie doch, daß Dürrenmatt nicht nur am Zeitgeschehen Anteil nahm, sondern es auch zu formulieren wußte.

In Basel entsteht auch das zweite, erst 1960 gedruckte Drama, ‚Der Blinde‘, das am 10. Januar in Basel aufgeführt wird; Kurt Horwitz ist von Zürich nach Basel gewechselt und setzt sich auch diesmal für seine ‚Entdeckung‘ ein. Die Forschung sieht in dem Stück ein Drama, das „auf das innerste Wesen des Theaters bezogen“ ist, ein „ganz konzentrierte[s], streng auf die Essenz alles Theatralischen ausgerichtete[s] Drama“.[40] Die Urteile finden ihre Begründung darin, daß das Stück als Spiel nochmals Spiel vorführt, daß im Spiel gespielt wird: ein blinder Herzog glaubt, die um ihn bereits längst zerstörte, untergegangene Welt bestehe noch im alten Glanz, seine Herrschaft sei noch ungebrochen. Der Sohn Parmenides vermag dem Blinden die falsche Vorstellung einzureden, und er läßt dann vor dem Blinden als Schauspiel den Untergang, nun als Spiel, nochmals vorführen, der in Wirklichkeit ja schon stattgefunden hat. Als der vom Herzog über das nicht mehr vorhandene Reich eingesetzte Statthalter, Negro da Ponte, die Wahrheit enthüllen will, wird er selbst Lügen gestraft: er, der glaubte, Spielleiter zu sein, wird von der Wirklichkeit korrigiert: die Welt, die man mit den Augen sieht, ist nicht die wahre Welt.

Trotz seiner theatralischen Thematik bleibt dieses Stück undramatisch, ein Bekenntnisstück, in dem die Personen Sentenzen, geflügelte Worte austauschen von der Art: „Denn wer immer wach ist, liebt den Schlaf, und wer die Wahrheit kennt, liebt den Wahn“, oder: „Du Narr, nur der Blinde sieht“, oder: „Ihr habt mir gereicht, was dem Menschen gehört, und Eure Hände waren leer.“[41] Das Theater, das hier gespielt wird, ist total, und es verhärtet sich der Verdacht, daß der ehemalige

Student der Naturwissenschaften der objektiven Natur, der objektiven Realität durchaus mißtraut: nur die Welt, die hinter der empirischen, sichtbaren Welt liegt, ist die Welt der Wahrheit, nur der Blinde sieht. In dieser Hinsicht nimmt Dürrenmatt eine sehr alte Vorstellung auf: die des blinden Sehers in der Antike, des Blinden, der gerade, weil er blind ist, sieht.

Auch dieses Stück bezieht sich auf Historisches, freilich auf noch weniger Beglaubigtes, als es in ‚Es steht geschrieben‘ der Fall gewesen ist, und zwar auf Ereignisse aus dem Dreißigjährigen Krieg. Negro da Ponte ist ein italienischer Edelmann, der im Dienst des kaiserlichen Heeres gestanden ist; angedeutet sind Kämpfe des schwedischen Protestanten Adolf und vor allem die totale Verwüstung des deutschen Landes; auf Wallenstein wird verwiesen. Aber das ist nicht mehr als Kulisse für die Darstellung eines grunsätzlichen Glaubenskriegs, der die Sinnlosigkeit des Streits um den wahren Glauben vorführt und auf eine andere, jenseitige Wahrheit verweist. Dennoch ist auch hier wieder die Parallele zur zeitgenössischen Realität unübersehbar: die Menschen stehen wieder einmal vor den Trümmern ihrer Reiche. Die Aussichten, die das Stück auf Änderung verheißt, sind wiederum hoffnungslos: der Mensch, wie er „ist", steht einem dauerhaften Frieden im Weg; er wird das Zerstörte wiederaufbauen und wieder zerstören. Eine irdische Lösung erscheint ohne Aussicht.

Mit dem Verweis auf eine höhere Welt, eine transzendente Wahrheit stellt sich das Stück in die christliche Neuerungsbewegung nach dem Krieg. Die geschichtliche Katastrophe wird nicht hingenommen im Sinne eines totalen Verlusts des Himmels, als Zeichen für den abwesenden Gott, sondern gerade als Wende hin zu Gott, als Zeichen dafür, daß die irdische Wirklichkeit keinen wahren Ausweg kennt. Das trennt Dürrenmatt entschieden von anderen Nachkriegsdramatikern wie Max Frisch oder Wolfgang Borchert. In Frischs ‚Nun singen sie wieder‘ von 1946 und in Borcherts ‚Draußen vor der Tür‘ wird in der Form des Mysterienspiels das Mysterium gerade negiert. Gott hat sich in der Katastrophe entfernt, die Suche nach ihm bleibt erfolglos, das Jenseits, so bei Frisch, erweist sich als Fortsetzung des Diesseits, aber mit der Chance zu lernen, neu zu beginnen. Bei Dürrenmatt dagegen fällt das Mysterium immer wieder in die Welt ein (hier, indem es die Lüge zur Wahrheit werden läßt, später ist es der ,,Zufall'') und zeigt die Sinnlosigkeit des menschlichen Planens und Entwerfens.

Und weiterhin wird an diesem Stück deutlich, daß Dürrenmatt auch in Distanz zum Existentialismus steht, der sich außerhalb von Deutschland während des Kriegs weiterentwickelt hatte (Camus, Sartre) und nach dem Krieg für Westeuropa herrschend geworden ist. Vereinfacht gesagt, trifft auf Dürrenmatt nicht zu, was Sartre in die Formel gefaßt hat: ,Hinter geschlossenen Türen'. Das so benannte Drama hat zum Thema, daß die Menschen, eingeschlossen in ihre Existenz, in ihr Existieren, sich selbst zur Hölle werden, und daß es keinen Ausweg aus dieser Hölle gibt: Die Tür ist geschlossen, es gibt kein ,Draußen'. Bei Dürrenmatt hat dagegen, um im Bild zu bleiben, die Tür einen Spalt, der zwar den Menschen auch nicht aus der Eingeschlossenheit entläßt, aber immerhin einen höheren Bezug öffnet. Dürrenmatts Menschen sind nicht wie die Sartres auf ihre Existenz, die sie nicht losläßt, verpflichtet, sie sind vielmehr den Einfällen von Unvorhergesehenem, Inkommensurablem ausgesetzt, an dem sie ihre Menschlichkeit bewähren können, aber meist scheitern.

Der Theatererfolg bleibt auch dem ,Blinden' versagt. Die Reaktion auf die Aufführung ist zurückhaltend, der Skandal, der dem streitbaren Protestanten viel lieber gewesen wäre als das Desinteresse, bleibt aus. Konsequent zieht Dürrenmatt beide Erstlinge zurück und belegt sie mit Aufführungsverbot. Und es folgt: der Rückzug in die Reben.[42]

Die Behausung der Familie in Basel, das alte Schulgebäude wird abgebrochen, die Familie zieht nach Schernelz ins Haus der Schwiegermutter, zunächst ins Obergeschoß mit einem ,,Läubli'' und fehlender Küche, später ins Erdgeschoß (mit Küche). Im Roman ,Der Richter und sein Henker' ist die Landschaft des Wohnsitzes der auf vier Köpfe angewachsenen Familie beschrieben. Von Tschanz heißt es da: „Er hielt in Ligerz vor der Station, stieg dann die Treppe zur Kirche empor. [. . .] Der See war tiefblau, die Reben entlaubt und die Erde zwischen ihnen braun und locker. [. . .] Der Weg führte steil bergan, von weißen Mauern eingefaßt, ließ Rebberg um Rebberg zurück. [. . .] Manchmal kreuzte eine Eidechse seinen Weg, Bussarde stiegen auf, das Land zitterte im Feuer der Sonne, als wäre es Sommer [. . .]. Später tauchte er in den Wald ein, die Reben verlassend. Es wurde kühler. Zwischen den Stämmen leuchteten die weißen Jurafelsen."[43] Daß der Rückzug keine Sommerfrische wird (wie es die Beschreibung vielleicht suggerieren könnte), dafür sorgt der vorangegangene Mißerfolg der Stücke. Dürrenmatt stürzt sich auf den alten Plan eines Stücks, das den Turmbau-Stoff verarbeiten sollte: „Meine Gedanken, meine Träume kreisten jahrelang um dieses Motiv, ich beschäftigte mich schon in meiner Jugend damit, stand doch in der Bibliothek meines Vaters ein blauweißer Band der Monographien zur Weltgeschichte, Ninive und Babylon. Es ist schwer, Träume zu gestalten. Ich hatte nie im Sinn, eine versunkene Welt zu beschwören, es lockte mich, aus Eindrücken eine eigene Welt zu bauen. Die Arbeit zog sich über Jahre hin."[44] Jedoch das durchaus schon umfangreiche Manuskript wird Frau Lotti eines Tags in Schernelz zum Feuermachen übergeben.

In die Arbeit am Turmbau fällt der erste größere Preis, den Dürrenmatt erhält, der Preis vom Gemeinderat der Stadt Bern. Was die Juroren Walter Lesch, E. F. Kuchel und Jean Kiehl bewog, unter dem breitgestreuten Angebot der Stücke – von Frischs ‚Die chinesische Mauer' über Albert Steffens ‚Friedenstragödie' bis zu Cäsar von Arx' ‚Brüder in Christo' – ausgerechnet ‚Es steht geschrieben' auszuwählen, blieb der Berner Zeitung unverständlich, die schrieb: „Was hier geschehen ist, kann nur als blamabel bezeichnet werden und als ein Streich, der dem Ansehen der Schillerstiftung [die für den Preis mitzeichnete] in höchstem Maße abträglich ist."[45] Noch hält der Autor Dürrenmatt Schiller nicht stand; wenig später, in Mannheim, sieht es anders aus.

Die Distanz, die der Rückzug mit sich brachte, hatte offenbar befreiende Wirkung: der alte Ballast, die Träume werden abgeworfen. Der Einfall zum ‚Romulus', dem nächsten Stück, kommt Dürrenmatt, so will es die Legende, in dem Moment, als er sich vom Turmbau-Projekt getrennt hat; und wieder einmal geht etwas unter: das römische Reich. Nach einer anderen Version ist der ‚Romulus' eine Auftragsarbeit – wie auch die späteren Kriminalromane. Der Stoff wird angeregt durch die Lektüre einer Strindberg-Novelle über den Tod Attilas. Dort sei, berichtet Dürrenmatt, „mit einigen Zeilen von dem letzten Kaiser von Rom die Rede [gewesen], diesem Romulus, daß er pensioniert worden sei".[46] Die historische Zeit, die damit aufgenommen wird, behandeln die Geschichtsbücher unter den Überschriften „Der Zusammenbruch des Westens", „Das Ende des römischen Reichs im Westen" u. ä. Kaiser Romulus, der bei Dürrenmatt gegen die Überlieferung den Namen „der Große" bekommt, hat das hohe Amt eigentlich nie innegehabt; die Historiker setzten ihn später ans Ende der Liste der Kaiser, den Untergang des Reichs in die Hände eines Knaben legend, der den geschichtlichen Beinamen Augustulus erhielt, der kleine Augustus. Die „ungeschichtliche historische Komödie", wie Dürrenmatt als Untertitel schreibt, spielt an den Iden des März 476. Die Germanen unter Odoaker rücken siegreich auf Rom zu. Der Kaiser jedoch – die Berichte über den Vormarsch verschmähend, sich über die Aufregungen im Reich lustigmachend – züchtet in aller Ruhe seine Hühner weiter (seine Hauptbeschäftigung), die er liebevoll mit den Namen seiner Zeitgenossen (Gegner eingeschlossen) belegt hat. Romulus entzieht sich der Herrschaft, weil er erkannt hat, daß die Herrschaft zugleich Schuldigwerden bedeutet; daher bleibt er passiv, den Lauf der Geschichte sich selbst überlassend. Die Germanen erobern Rom, Romulus erwartet auch sein Ende, doch der in Lederhosen gekleidete Germane, Odoaker, zeigt sich nicht nur am Hühnerzüchten interessiert, er offenbart auch eine ähnliche Einstellung wie der Kaiser und möchte die Herrschaft, die er gerade erwarb, durchaus nicht antreten, bietet vielmehr dem verdutzten Römer die Weltherrschaft an, die der freilich auch nicht will. So gelingt es Odoaker nicht, den ungeheuerlichen Tatendrang seines Volkes (den er fürchtet) einzudämmen, die Weltherrschaft der Germanen steht bevor, das humane Reich des hühnerzüchtenden Nicht-Täters ablösend und zerstörend.

Die Verweigerung der historischen Tat geschieht aus tieferer Einsicht und zugleich als Gericht über Rom: „JULIA: Du hast den Zyniker gespielt und den ewig verfressenen Hanswurst, nur um uns in den Rücken zu fallen [...]. Du bist Roms Verräter! ROMULUS: Nein, ich bin Roms Richter."[47] Romulus stellt sich als der als Narr verkleidete Weltrichter vor, der nur Kaiser geworden ist, um das Reich zu liquidieren. Diese Haltung, etwas zu werden in einer Gesellschaft, um ihre Ausbreitung möglichst zu hindern, hat in der Diskussion der Nachkriegszeit eine große Rolle gespielt, bezeichnet sie doch die Rolle der Intellektuellen, der „inneren Emigranten" im Dritten Reich, die sich dem Faschismus verweigerten, indem sie ihn äußerlich mitmachten. Dürrenmatt sieht die Frage freilich prinzipieller: sein Romulus führt die gänzliche Verweigerung der Aktion vor, um so den sinnlosen Heroismus ins Leere laufen zu lassen, oder anders gesagt: er hält die Welt aus, wie sie ist, um sie, so paradox das erscheinen mag, zu ändern; indem er den Menschen ihren Aktionismus nimmt, treibt er ihnen den Heroismus aus, der sie von einem Krieg zum anderen führt.

Im Verzicht auf Aktion formuliert sich zugleich ein Schweizer Standpunkt. Im Krieg bedeutete die Neutralität, eingeschlossen zu sein; Dürrenmatt sagt später über seine Lage: „Wir waren damals eingeschlossen im Krieg, konnten nie aus dem Land heraus, und ich wollte immer Maler werden."[48] Aber auch nach dem Krieg bleibt die Schweizer „Enge", das Eingeschlossensein, aktuell, war doch offenbar aus dem äußeren Zwang eine bewußte Haltung geworden. Paul Nizon jedenfalls beschreibt sie 1970 in seinem ‚Diskurs in der Enge' kritisch, wenn er nicht nur auf die „naturbedingte Enge des Schauplatzes" hinweist, auf die Kleinheit, die oft auch Engstirnigkeit sei, auf die Berge und Täler, die die ohnehin Abgeschlossenen auch noch gegeneinander abschließen, er verweist auch auf die Enge, Engstirnigkeit als „*erstrangige* Kulturbedingung der Schweiz", insofern sie große Kultur verhindere: „Der schweizerische geistige Mensch ist dazu verurteilt, abseits und im aktiven Fall unter der Feindschaft der offiziellen Schweiz zu schaffen."[49] Dürrenmatt verläßt nicht wie viele andere Schweizer Schriftsteller das Land oder lebt wenigstens eine Zeitlang außerhalb der Enge, wie er überhaupt seinen Wohnsitz nur ungern verläßt, er macht vielmehr aus der unbeteiligten Distanz, aus dem Außerhalb-des-Getriebe-Stehens und der Eingeschlossenheit eine bewußte Haltung: „Man wird mir vorwerfen, die Schweiz sei eine Provinz und wer sich an eine Provinz wende, sei ein provinzieller Schriftsteller. Gesetzt, daß es noch Provinzen gibt, haben jene unrecht, die so sprechen. Man kann heute die Welt nur noch von Punkten aus beobachten, die hinter dem Mond liegen, zum Sehen gehört Distanz, und wie wollen die Leute denn sehen, wenn ihnen die Bilder, die sie beschreiben wollen, die Augen verkleben."[50] Und, wäre zu ergänzen, wenn ihnen das dauernde Handeln, das „Verstrickt-Sein" in die Welthändel keine Besinnung zuläßt.

Der Rückzug in die Reben stellt sich, so gesehen, als bewußte Distanzierung dar, als der Versuch, die Enge, die ihn durch die Ablehnung seiner Stücke ja betroffen hatte, zu überwinden. Dürrenmatt zieht sich zurück auf einen Platz außerhalb des Geschehens, an dem er verschont bleibt, zugleich aber den Abstand zu dem gewinnt, was er weiterhin beschreiben will. Er plaziert sich mitten in die Schweiz, mitten in die Enge, aber doch ein Pfahl in ihr, und er läßt von da sein als unflätig empfundenes Gelächter ertönen, das nicht nur die Schweizer Bürgerlichkeit aufschreckt; er bleibt in der Schweiz als notwendigem Arbeitsplatz, der ihm die große Perspektive, die Distanz liefert, der die Dinge so klein werden läßt, daß sie zum Lachen werden. Es ist die Distanz des Engels, der nach Babylon kommt und sich an der Schönheit der Erde delektiert, es ist die Distanz des Nobelpreisträgers Schwitter, der die Kleinigkeiten des Lebens nicht mehr ernst nehmen kann. Daß für Dürrenmatt die Distanz eine bewußte ist, beweist, daß er sie oft ausdrücklich zum Thema seiner

Stücke werden läßt und daß er sie in seiner Theorie der Komödie als eine Voraussetzung einsetzt; sie vermag aber auch zu einer Gefahr zu werden: zu große Distanz kann auch heißen, zu viel zu übersehen, Distanz kann heißen, nur noch die großen, unübersehbaren Gegensätze zu gestalten, dazu verurteilt zu sein, nur Weltgeschichte als Geschichte anzusehen.

Dürrenmatt ist in den Reben freilich nicht ganz aus der Welt; die Verbindung vor allem zu Zürich bleibt bestehen, wie aber auch umgekehrt die neue Dürrenmattsche Bleibe, die „Festi", nahe bei einem Burghügel, auf dem sich mal Schloß Ligerz befunden hatte, die Städter durchaus angezogen hat; Walter Muschg, der Literaturwissenschaftler, Max Gubler, der Maler, Bernhard Wicki, der Regisseur und Drehbuchautor und Darsteller, Theo Otto, der Bühnenbildner, Max Frisch und andere sollen der Kontakt des freudvoll lebenden und kommunizierenden Autors zur Außenwelt gewesen sein. In dieser Zeit lernt er auch Peter Schifferli kennen, den Verleger, der mit Thornton Wilder und Werner Bergengruen seinen Verlag aufzubauen begonnen hatte. Später berichtet Schifferli rückblickend: „Ohne ‚Dürri' wäre mein Abenteuer, Bücher zu verlegen, bestimmt nur Episode geblieben. Durch seine Werke erst wurde mein Verlag auf eine tragfähige Grundlage gestellt."[51] Diese Worte sind eine spätere Verbeugung vor Dürrenmatt, in Wirklichkeit war es in den Nachkriegsjahren bis 1950 in erster Linie Bergengruen gewesen, der der ‚Arche' genügend Fahrwasser gab. Bergengruen hatte nach dem Krieg Deutschland verlassen, war 1946 in die Schweiz gegangen, nachdem er mit seinem Roman ‚Der Großtyrann und das Gericht' von 1935 seinen Beitrag zur „inneren Emigration" geleistet hatte. Der Roman spielte im Nachkriegsdeutschland eine große Rolle, da hier ein Beispiel bürgerlichen Widerstands gegeben war, das sich in die Restauration der bürgerlichen Demokratie nahtlos einfügte. Mit Bergengruen verbindet Dürrenmatt ein christlich fundierter Humanismus, die Wahl des Schweizer Standorts – für Bergengruen als spätes Exil, für Dürrenmatt als Platz hinterm Mond –, aber auch grundsätzliche Fragestellungen; Bergengruen freilich rührte an die Saturiertheit des Bürgerlichen nur bedingt und wenn: mit nobler Geste; Dürrenmatt dagegen hieb mit der Faust.

1949 wird Dürrenmatt zum ersten Mal in einer Buchpublikation der Schweiz als Schweizer Autor gewürdigt und erhält so, trotz der Mißerfolge, einen Platz als ernst zu nehmender Autor. Albert Bettex vermutet: ,,Vielleicht wächst in dem jungen Friedrich *Dürrenmatt* mit seiner shakespearisierenden Gestaltenfülle und den heftig in letzte metaphysische Gründe verstoßenden Fragen eine neue große Hoffnung des schweizerischen Dramas heran.“[52] Bettex, der u. a. die Rubriken ,,Heimatdichtung“, ,,Gesellschaftskritik“ für die Literatur der Nachkriegsschweiz bereithält, reiht Dürrenmatt unter ,,Das abenteuerliche Herz“ ein, und das heißt, unter die Außenseiter der Literatur, die lebhafte Phantasie und ,,heimlich Unbürgerliches“ auszeichne. Dürrenmatt wird also weder als Heimatdichter noch als Gesellschaftskritiker reklamiert; Unbürgerlichkeit ist noch das konkreteste Plakat, während die Rubrik, unter die er fällt, anzeigt, daß es offenbar Mühe macht, ihn einzuordnen.

Bezeichnend ist, daß die Wahl des distanzierten Standpunkts am Beginn der fünfziger Jahre eine Hinwendung zu aktuellen Stoffen und Themen nach sich zieht, der Rückzug in die Reben (auch die ,,Festi“, unweit von Schernelz, zeichnet sich durch die Abgelegenheit und Idyllik aus) also keinen Rückzug aus der Aktualität mit sich bringt. Er verarbeitet seine geographische und gesellschaftliche Umwelt in seinen Kriminalromanen und Hörspielen, und in seinem neuen Stück ‚Die Ehe des Herrn Mississippi‘. Die Forschung hat bisher Dürrenmatt keine Eindeutigkeit in der Frage ablocken können, ob das Stück vor oder nach den Kriminalromanen begonnen worden ist. Tatsache ist, daß ‚Der Richter und sein Henker‘ vom 15. Dezember 1950 ab in Fortsetzungen im ‚Schweizerischen Beobachter‘ erscheint und daß das Stück im gleichen Jahr begonnen wird. Zu vermuten ist, daß Dürrenmatts Wende nicht zuletzt auch mit den finanziellen Schwierigkeiten der Familie zusammenhing, die es notwendig werden ließ, daß er sich um seine gesellschaftliche Position kümmerte, und vielleicht spürte er damals auch erstmals eindringlich, daß die hochgepriesene westliche Freiheit ohne die nötigen finanziellen Mittel oft nur ein Fetisch ist. Er entwickelt jedenfalls von da ab ein kritisches Auge für die neue Wohlstandsgesellschaft, und im ‚Mississippi‘ heißt es deutlich: „der Westen hat die Freiheit verspielt", und das in einer Zeit, als es kaum ein unantastbareres Wort gab. Später begründet Dürrenmatt die Wende poetologisch (wobei wiederum zu vermerken ist, daß die Argumentation von Emil Staiger stammen könnte): „Wenn ich einen Roman schreibe, brauche ich unter anderem ganz einfach die Schweiz, weil ich dieses Land am besten kenne. Gerade der Romanschriftsteller benötigt eine sehr genaue Kenntnis der realen Dinge. [. . .] ein Bild wollen die Leute, von der Gesellschaft, von der Zeit, das kann man auch im Kriminalroman geben."[53] Der Roman also wird als die prosaische Gattung in Anspruch genommen, die den Schriftsteller notwendig auf die Zeit, die Gesellschaft lenke; aber da Dürrenmatt auch im Stück, in der ‚Ehe des Herrn Mississippi‘, Zeit und Gesellschaft darstellt, dürfte die spätere poetologische Begründung nur sehr bedingt zu akzeptieren sein.

Der ‚Mississippi‘ nimmt modellhaft die Situation des Kalten Kriegs auf, indem das Stück in der Person des Mississippi das westliche System mit dem östlichen konfrontiert, das Saint-Claude verkörpert. Der Generalstaatsanwalt Florestan Mississippi, ein Gerechtigkeitsfanatiker, der die Welt nach dem Gesetz Mosis „restaurieren" möchte, hat seine Frau ermordet; er klagt kraft seines Amtes Anastasia wegen Mordes an ihrem Gatten an, die nach längerem Leugnen gesteht. Aber anstatt sie zu verhaften, bietet Mississippi, den eigenen Mord eingestehend, der verdutzten Dame die Ehe an, um dadurch ihre Morde zu sühnen. Während Mississippi unerbittlich ein Todesurteil nach dem anderen vollstrecken läßt, muß Anastasia die Opfer betreuen und den Hinrichtungen beiwohnen. Da jedoch die Zeitumstände Mäßigung erfordern, beginnt Mississippis Position zu wanken; sein Jugendfreund Saint-Claude, der Kommunist mit dem Auftrag, die kommunistische Partei zu reformieren, ebenso stur am ‚Kapital‘ Marxens hängend wie Mississippi an der Bibel, versucht ihn auf seine Seite zu ziehen (wobei zugleich die Vergangenheit beider aufgedeckt wird: beide kommen aus der Gosse, ehemalige Strichjungen, die ihre Herkunft vergessen machen wollen); beide jedoch beharren auf ihrer Überzeugung. Saint-Claude entfesselt gegen den Staatsanwalt einen Volksaufstand, der aber vom Justizminister Diego zum eignen Aufstieg ausgenutzt wird; er schiebt Mississippi ins Irrenhaus ab, Saint-Claude wird von Moskau fallengelassen und liquidiert; wohingegen Anastasia, die sich mit dem neuen Ministerpräsidenten Diego eingelassen hat, von Mississippi, der aus dem Irrenhaus entwichen ist, vergiftet wird, und ihren Ehebruch nicht eingesteht, während Mississippi das für Saint-Claude bereitgestellte Gift aus Versehen zu sich nimmt. Als weitere Hauptperson zwischen den Fronten erscheint Graf Übellohe; auch er ein Werber um die Gunst Anastasias, freilich nicht von der Ideologie oder Macht besessen, wie Mississippi und Saint-Claude einerseits und Diego andererseits.

Dürrenmatt ging es darum, ,,zu untersuchen, was sich beim Zusammenprall bestimmter Ideen mit Menschen ereignet, die diese Ideen wirklich ernst nehmen und mit kühner Energie, mit rasender Tollheit und mit einer unerschöpflichen Gier nach Vollkommenheit zu verwirklichen trachten, und ,,ob der Geist – in irgendeiner Form – imstande sei, eine Welt zu ändern".[54] Obwohl es sich nun um einen zeitgenössischen Stoff handelt, hören sich diese Worte wieder recht vertraut an: wieder einmal sollte sich die menschliche Gier nach Vollkommenheit als der eigentliche Hemmschuh für eine bessere Welt erweisen. ,,Alles in dieser Welt kann geändert werden, mein lieber Florestan, nur der Mensch nicht", sagt Saint-Claude zu Mississippi paradigmatisch.[55] Obwohl Dürrenmatt in diesem Stück (und auch später) seinen politischen Standort als emanzipiert ansieht, insofern Kommunist und Christ unrecht behalten – es heißt von Dürrenmatt an anderer Stelle: ,,Wir diskutierten damals die Thesen des Westens und des Ostens und verwarfen alle."[56] –, stellt er sich mit dem Postulat des unveränderbaren Menschen, der unveränderbaren Menschennatur in eine idealistische Tradition, die die sozialen Differenzierungen nur in geringem Maße zur Kenntnis nimmt und eine grundsätzliche gesellschaftliche Bedingtheit der Menschen leugnet. Demonstriert werden menschliche Grundsituationen, die nur scheinbar durch die zeitgenössische Stoffwahl politische Relevanz erhalten. Saint-Claude und Mississippi erscheinen als grundsätzliche Antagonismen, die Dürrenmatt zwar gern als dialektische bezeichnet, die aber genaugenommen statisch, ungeschichtlich bleiben, weil sie alles auf menschliche Grundstrukturen schlechthin zurückführen wollen und die Historie nur als wechselnde Staffage anerkennen. Florestan Mississippi stirbt, vergiftet von seiner Frau im irrigen Glauben, daß sein Ehe-Experiment: der Mensch könne durchs Gesetz, durch Vollkommenheit geändert werden, Erfolg gehabt hätte. ,,Alles ist sinnlos, wenn es mir nicht gelang, sie zu ändern", sagt Mississippi, ,,Sie: das heißt: zumindest eine menschliche Kreatur." Anastasia jedoch, die Hure, bleibt, was sie ist, ,,geht unverändert durch den Tod"; alle äußerliche Veränderung vermag ihrem inneren unveränderlichen Kern nichts anzuhaben.[57]

Indem Dürrenmatt auf eine konkrete Darstellung der Gesellschaft verzichtet und statt dessen zeigt, daß der Mensch auch unter extremen gesellschaftlichen Bedingungen nicht zu verändern ist, stellt er sich in die Reihe jener Dramatiker im Westen, die sich zwar mit dem Ost-West-Gegensatz beschäftigen (vgl. etwa Zuckmayers ,Das kalte Licht' oder Heys ,Thymian und Drachentod'), ihn aber zugleich durch ihre unkonkrete idealistische Darstellung unpolitisch verbrämen und zum grundsätzlich menschlichen Antagonismus werden lassen. Eine politische (und zeitgenössische) Stellungnahme unterbleibt in Wirklichkeit, und zugleich werden Dramen dieser Art verwertbar für antikommunistische Zwecke, indem sie am politischen Stoff dessen politische Brisanz verschweigen in der Furcht, festgelegt zu werden. Dennoch ragt Dürrenmatt heraus: durch das die konkrete Bühnensituation schaffende Geschehen (so das Vorziehen von Saint-Claudes Ermordung aus ,,therapeutischen Gründen" und die damit verbundene Retrospektive des Geschehens, das als Bühnengeschehen bewußt gemacht wird), durch die

Verbindung epischer und dramatischer Elemente (so führt sich Dürrenmatt wieder – wie in ‚Es steht geschrieben‘ – selbstironisch als ‚heimtückischer Autor‘ ein) und nicht zuletzt durch die Kritik einer unkritisch postulierten Freiheit der Persönlichkeit.

Unter der Regie von Hans Schweikart findet die Uraufführung am 26. März 1952 in München statt. Die Aufführung erscheint Dürrenmatt derart musterhaft, daß er sie der späteren Buchausgabe zugrunde legt (er hat mehrere Fassungen – im ganzen sechs – geschrieben). Die Aufführung unterstützt die Tendenz des Stücks, nämlich zu abstrahieren. Obwohl die deutsche Kritik – wie üblich bei Dürrenmatt – dem Stück nicht nur positive Aufmerksamkeit schenkt, bringt der ‚Mississippi‘ Dürrenmatt den internationalen Durchbruch. Schweikarts Musterinszenierung ist der glückliche Start für einen seiner größten Erfolge in der westlichen Welt, der für Dürrenmatt auch subjektiv wichtig geworden ist.

Der ‚Mississippi‘ brachte Dürrenmatt überflüssigerweise den Vorwurf ein, ein Plagiat begangen zu haben. Tilly Wedekind fühlte sich bemüßigt, den Schriftstellerverband prüfen zu lassen, ob Dürrenmatt nicht das Schauspiel ihres Mannes Frank Wedekind, ‚Schloß Wetterstein‘, abgeschrieben habe. Hatte Brecht der Plagiatsvorwurf des Kritikers Alfred Kerr (Brecht habe die Songs in der ‚Dreigroschenoper‘ der Villon-Übersetzung von K. L. Ammer entnommen) nur die berühmte Erklärung abgelockt, das hänge mit seiner „grundsätzlichen Laxheit in Fragen geistigen Eigentums" zusammen, antwortet Dürrenmatt am 9. August 1952 in der ‚Tat‘: „Ich glaube nicht, daß ein heutiger Komödienschreiber an Wedekind vorbeigehen kann, wie mir dies Frau Tilly offenbar zumutet."[58] Im ganzen freilich war das nichts anderes als eine anachronistische Posse, die durch die Wiederholung, für die Dürrenmatt nichts kann, nicht aufregender wird. Leider ist der kluge Satz Dürrenmatts von zu vielen anderen Sätzen begleitet, die nachweisen wollen, daß Frau Tilly unrecht hat – aber wer wollte den Nachweis denn ernsthaft? Dieser eine Satz hätte genügt; er wäre vielleicht wie der Brechts ein geflügeltes Wort geworden.

# IV. Zufall und Notwendigkeit

*Die Kriminalerzählungen als Requiem auf den Detektivroman*
*und das geschlossene Kunstwerk*

In seinem 1971 in deutscher Sprache erschienenen Buch ,Zufall und Notwendigkeit. Philosophische Fragen der modernen Biologie'[59] hat Jacques Monod festgestellt, daß ,,einzig und allein der Zufall jeglicher Neuerung, jeglicher Schöpfung in der belebten Natur zugrunde liegt. Der reine Zufall, nichts als der Zufall, die absolute, blinde Freiheit als Grundlage des wunderbaren Gebäudes der Evolution – diese zentrale Erkenntnis der modernen Biologie ist heute nicht mehr nur eine unter anderen möglichen oder wenigstens denkbaren Hypothesen; sie ist die einzig vorstellbare, da sie allein sich mit den Beobachtungen und Erfahrungstatsachen deckt". Monods Buch hat nicht wegen der schon länger bekannten Ergebnisse einer immer mehr spezialisierten Forschung Furore gemacht, sondern durch die Umsetzung der Ergebnisse in philosophische Konsequenzen, die – und das sagt der zitierte Satz – der modernen Rationalität, dem Glauben an eine sinnvoll sich fortentwickelnde, steuer- und beeinflußbare Natur eine radikale Absage erteilen. Hatten die Entdeckungen Einsteins und Heisenbergs u. a. dazu geführt, das klassische Weltbild der Physik aus den Angeln zu heben, so scheinen die Ergebnisse der modernen Biologie die durch die moderne Physik eingeleitete Tendenz, mit der Unbestimmbarkeit (im Sinn der Feststellung von Ursache und Wirkung) bestimmter Beobachtungen und Erfahrungen zu rechnen, nicht nur zu bestätigen, sondern auch zu radikalisieren, indem das Zufällige, das absolut Unbestimmbare gerade als der wesentliche Faktor der Entwicklung, der Evolution, angesehen wird. In der Mathematik fand die moderne Physik ihr Äquivalent in der Wahrscheinlichkeitsrechnung, die nicht mehr den determinierbaren Einzelfall sucht, sondern sich auf Häufigkeitsdeutung gründet: „Wahrscheinlichkeitsaussagen drücken eine relative Häufigkeit wiederholter Ereignisse aus, das heißt, Häufigkeiten, die als Prozentsatz der Gesamtheit aller Fälle gezählt werden."[60] Die Wahrscheinlichkeitsrechnung also vermag nur noch Allgemeinbeziehungen zu formulieren, sie kann nur sagen, daß in soundsoviel Fällen mit der und der Wahrscheinlichkeit dies und das eintreten wird; sie kann aber nicht sagen, daß gerade der eine Fall, der interessiert, unter die in der Allgemeinbeziehung formulierte Häufigkeit fällt oder nicht. „Eine Aussage über die Wahrscheinlichkeit eines Einzelfalls ist sinnlos."[61] Übersetzt man diese Einsicht in andere Worte, so heißt das: das Individuelle geht nicht in der Allgemeinheit auf, es bleibt bewahrt, der Einzelfall bleibt unbestimmt und unbestimmbar; der Einzelfall unterliegt keiner Notwendigkeit, er ist frei und zufällig.

Die Dürrenmatt-Forschung hat längst herausgearbeitet, daß Dürrenmatts Kriminalromane, insbesondere das ‚Requiem auf den Kriminalroman', der Roman ‚Das Versprechen', diese Zufälligkeit gestalten; und sie hat daraus einen weitreichenden Schluß gezogen, der von Günter Waldmann formuliert worden ist: „Der eigentliche literarische Schwerpunkt der Detektivromane Dürrenmatts liegt bei ihrer thematischen Aussage über den Zufall. Eben dies bezeichnet ihre entscheidende Fragwürdigkeit: Wir haben gesehen, daß der Zufall bei Dürrenmatt nur die eine Funktion hat: die Ohnmacht des Menschen und seiner Vernunft zu erweisen"[62] Das Urteil findet darin seine Begründung, daß Dürrenmatt seine Kriminalromane gegen das bewährte Schema der Detektivgeschichte, der Detektion, d. h. der logisch stringenten Aufdeckung eines Falls, anlegt. Ist die traditionelle Detektivgeschichte dadurch aufklärerisch und rational, daß sie einen Fall durch eine lückenlose, deterministisch durch und durch begründete, eins aus dem anderen logisch ableitende Indizienkette *aufklärt,* daß der Detektiv die Rationalität der Welt dadurch unter Beweis stellt, daß ihm die Aufklärung, Lösung des Falls gelingt, so erscheinen Dürrenmatts Kriminalerzählungen als irrational, antiaufklärerisch, weil sie die traditionelle

Detektion durch zufällige Begebenheiten, die die vernünftigen Pläne der Detektive zunichte machen, als falsch zurückweisen. „Je planmäßiger die Menschen vorgehen, desto wirksamer vermag sie der Zufall zu treffen."[63] Waldmann schließt daraus, daß Dürrenmatt „durch den Aufweis der ,Überlegenheit des Zufalls über den menschlichen Verstand'" nur erreiche, daß die „Realität der wirklichen Welt und dessen, was in ihr tatsächlich an (mit einigem Sinn so zu nennender) ,Zufälligkeit' wirksam ist", wegfalle: „Der wirkliche Mensch, wie er tatsächlich in einer gesellschaftlichen, ökonomischen und politischen Situation durch unvorhersehbare, undurchschaubare, für ihn ,zufällige' Mächte und Zwänge bestimmt wird."[64] Waldmann stellt daher Dürrenmatts Kriminalromane in die „Ideologie religiöser Anti-Aufklärung" (religiös deshalb, weil der Zufall religiös begründet werde); und er stellt so die Romane als bewußte Verschleierung der tatsächlichen Lebenswirklichkeit vor. Der Zufall sei keine objektive Kategorie, sondern Ausdruck einer Gesellschaft, die ein Interesse daran hat, daß die Welt als undurchschaubar, unberechenbar, als unabänderliches Schicksal für den einzelnen erscheint, um auf diese Weise eine mögliche rationale Einsicht in ihr Gefüge abzuwehren – und damit auch ihre mögliche Veränderung zu hintertreiben.

Dürrenmatt hat seine ab 1950 einsetzende Kriminalschriftstellerei begonnen aus finanziellen Gründen; die ersten beiden Romane wurden als Auftragsarbeiten für eine Zeitung verfaßt, und er hat ihre ökonomischen Anlässe nie abgeleugnet,[65] aber es wäre falsch anzunehmen, sie seien deshalb bloß Gelegenheitsarbeiten gewesen. Auch der ungeheure Erfolg, den die Romane hatten (,Der Verdacht' war im Januar 1974 z. B. als Taschenbuch im 595. Tausend, ,Der Richter und sein Henker' im Mai 1974 im 1245. Tausend), spricht nicht gegen sie, wenn er auch anzeigt, daß sie offenbar gewisse konventionelle Erwartungen erfüllt haben, so die Schauereinlagen im ,Verdacht', die von Edgar Wallace stammen könnten, so die Gestalt des alten, scheinbar überlegenen Detektivs, so die Spannung, die sie in der Konfrontation von Detektiv und Verbrecher erzeugen. Daß der Kriminalroman zu Beginn der fünfziger Jahre durchaus noch eine anrüchige literarische Erscheinung dargestellt hat, eine „nur durch stoffliche Spannung die Abenteuerlust weiter Kreise" befriedigende Literatur,[66] sollte nicht ganz vergessen sein; die Literaturwissenschaft hat sie erst allmählich zur Kenntnis und dann auch ernst zu nehmen begonnen.

Der erste Roman ‚Der Richter und sein Henker' scheint der noch konventionellste zu sein; der alte, kränkelnde Detektiv schließt ebenso an die Tradition an, wonach die Detektive durchaus keine jugendlichen Draufgänger zu sein hatten (Dupin bei Poe, Miß Marple und Hercule Poirot bei Agatha Christie, Pater Brown bei Chesterton u. a.), wie es mit der spannungsvollen Konfrontation von Detektiv und Verbrecher der Fall ist. Aber schon der Beginn der Erzählung Dürrenmatts weist eigentümliche Züge auf: ein Polizist, der sich vor Leichen fürchtet, bringt seinen ermordeten Kollegen, dem Schweizer Reinlichkeitsbedürfnis folgend, brav in die Stadt aufs Revier. Alle Spuren sind auf diese Weise sorgfältig und endgültig beseitigt. Auch der weitere Verlauf weist Merkwürdiges auf: der Kommissär Bärlach, alt und siech, hat im Gegensatz zum Leser den Fall längst durchschaut, setzt er doch den Mörder des Polizisten auf den Fall an, aber nicht in erster Linie, wie es sich herausstellt, um ihn zu überführen, sondern um mit seiner Hilfe eine Wette zu gewinnen, die vierzig Jahre zurückliegt und die der eigentliche Grund für Bärlachs durchaus erfolgreiche Laufbahn bei der Kriminalpolizei ist. Als junger Mann trifft Bärlach in der Türkei – damals noch junger Polizeifachmann aus der Schweiz in türkischen Diensten – mit einem ‚herumgetriebenen Abenteurer', „gierig, [sein] einmaliges Leben und diesen ebenso einmaligen, rätselhaften Planeten kennenzulernen", zusammen, der jetzt, zur Zeit des aktuellen Falls, unter dem Namen Gastmann in der Schweiz seine dunklen Geschäfte betreibt. Bärlach hatte in der Türkei gegenüber Gastmann behauptet, daß „die menschliche Unvollkommenheit, die Tatsache, daß wir die Handlungsweise anderer nie mit Sicherheit voraussagen können und daß ferner der Zufall, der in alles hineinspielt, der Grund sei, der die meisten Verbrechen zwangsläufig zutage fördern müsse".[67] Gastmann hatte dagegen gehalten, daß „gerade die Verworrenheit der menschlichen Beziehungen es möglich mache, Verbrechen zu begehen, die *nicht* erkannt werden könnten, daß aus diesem Grunde die überaus größte Anzahl der Verbrechen nicht nur ungeahndet, sondern auch ungeahnt seien, als nur im Verborgenen geschehen". Beide schließen eine Wette, die, wie Gastmann rückblickend sagt, „wir trotzig in den Himmel hinein hängten, wie wir etwa einen fürchterlichen Witz nicht zu unterdrücken vermögen, auch wenn er eine Gotteslästerung ist, nur weil uns die Pointe reizt als eine teuflische Versuchung des Geistes durch den Geist". Noch in der Türkei beginnt Gastmann, seiner These Nachdruck zu verleihen, indem er vor Bärlachs Augen einen Kaufmann von der Brücke stürzt; da der Kaufmann jedoch kurz vor dem Konkurs stand, wird der Fall als Selbstmord registriert, und alle gegenteiligen Beteuerungen Bärlachs nützen nichts. Damit beginnt der Kampf zwischen Gastmann und Bärlach. Gastmann resümiert: „Ich wurde ein immer besserer Verbrecher und du ein immer besserer Kriminalist: den Schritt jedoch, den ich dir voraushatte, konntest du nie einholen. Immer wieder tauchte ich in deiner Laufbahn auf wie ein graues Gespenst, immer wieder trieb mich die Lust, unter deiner Nase sozusagen immer kühnere, wildere, blasphemischere Verbrechen zu begehen, und immer wieder bist du nicht imstande gewesen, meine Taten zu beweisen. Die Dummköpfe konntest du besiegen, aber ich besiegte dich." Auf dem Hintergrund dieser Wette erweist sich der Tod des Polizisten zu Beginn als der gar nicht eigentliche Fall des Romans, wie es der Leser anfangs erwartet. Dieser Fall ist vielmehr bloß ein willkommener Anlaß für Bärlach, dem es gar nicht um die Wiederherstellung der Gerechtigkeit geht, sondern nur darum, die Wette am Ende doch noch zu gewinnen; der Fall also ist willkommener Anlaß, den ihm überlegenen Verbrecher zur Strecke zu bringen, und zwar mit einem Verbrechen, das dieser (ausnahmsweise) nicht begangen hat. Da es Bärlach nicht gelingt, Gastmann der Verbrechen zu überführen, die er begangen hat, läßt er ihn für einen Mord büßen, mit dem er nichts zu tun hat. Bärlach hetzt seinen Kollegen, den wahren Mörder, auf Gastmann, zwingt ihn, um sich selbst zu decken, Gastmann zu erschießen und die Tat als Notwehr zu tarnen. Bärlach – weit entfernt davon, der Gerechtigkeit zu ‚dienen‘ – spielt den Richter und setzt den Polizistenmörder zugleich als seinen Henker ein. Dieser wird am Ende des Romans von Bärlach in einem fast mörderischen Gastmahl (Bärlach überlebt es, wie der zweite Roman ‚Der Verdacht‘ zeigt, nur knapp) der Morde überführt und begeht Selbstmord. Der Fall scheint damit, versöhnend, Gerechtigkeit wiederherstellend, abgeschlossen zu sein.

Der zweite Roman, ‚Der Verdacht‘, schließt unmittelbar ans Ende des ersten an: er nimmt dessen Hauptfigur Bärlach auf und legt nachträglich auch die Zeit des ersten Romans fest, weil nämlich der zweite – Bärlach ist noch in Behandlung wegen der für ihn fast tödlichen Fresserei am Ende von ‚Der Richter und sein Henker‘ – am 27. Dezember 1948 einsetzt. Hatte der erste Roman bereits einen aktuellen Hintergrund, nämlich Geheimverhandlungen Schweizer Firmen mit der Sowjetunion, so reiht sich der zweite Roman in die Reihe der sogenannten Bewältigungsliteratur ein. Im Zentrum steht ein ehemaliger KZ-Arzt, der, als sei nichts geschehen, in einer angesehenen Schweizer Privatklinik sein sadistisches Gewerbe unangefochten fortsetzt; er operiert seine Patienten ohne Narkose, nachdem er von ihnen, ihre Krankheiten ausnutzend, ihr Vermögen erpreßt hat. Dürrenmatt nimmt mit dem Buch lange vor Frischs zentral gewordenem Stück ‚Andorra‘ (1961) die Anklage der eigenen Gesellschaft vorweg: ,,Was in Deutschland geschah, geschieht in jedem Land, wenn gewisse Bedingungen eintreten. Diese Bedingungen mögen verschieden sein. Kein Mensch, kein Volk ist eine Ausnahme.‘‘[68] Er stellt mit dem Roman an die Schweizer nicht nur die Frage, ob sie denn unter ähnlichen Umständen auch so anständig geblieben wären, wie sie sich dünken, er verweist überdies kritisch auf die Situation im eigenen Land, das es mit seiner Wirtschaftsstruktur zuläßt, daß ehemalige Verbrecher in ihm unangefochten und gut verdienend arbeiten können.

Bärlach, im Bett liegend, kommt durch einen Illustriertenbericht über ein deutsches KZ zufällig der Verdacht, daß der auf einem Foto abgebildete Arzt mit dem bekannten Leiter eines Zürcher Sanatoriums identisch sein könnte. Bärlach, der die Operation zwar gut überstanden hat, der wegen des dabei festgestellten Krebsleidens aber nur noch höchstens ein Jahr zu leben hat, wird aus dem Dienst entlassen und begibt sich, nur seinem befreundeten Arzt sich anvertrauend, in die Klinik des Verdächtigen. Die eigentliche Spannung dieses Romans ergibt sich aus dieser, in Kriminalromanen beliebten, Situation, daß der Detektiv dem verdächtigen Verbrecher sich ausliefert, um ihn zu überführen, daß er aber nie weiß, ob dieser ihm nicht auf die Schliche kommt und ihn als Zeugen beseitigt. Bei Dürrenmatt durchschaut der Arzt das Spiel schnell, gewinnt alle Macht über den Detektiv und wählt Bärlach selbst zum nächsten Opfer seiner sadistischen Neigung. Als Bärlach rettungslos verloren scheint, kommt in letzter Sekunde als Retter in der Not ein riesiger Jude, Gulliver mit Namen, der einzige, der dem KZ-Schergen zu entgehen wußte und der die entsetzliche Operation lebend überstanden hatte.

Die Schilderung des äußerlichen Handlungsablaufs im ‚Verdacht' sagt noch weniger über Dürrenmatts Absichten aus, als es schon bei ‚Der Richter und sein Henker' der Fall gewesen ist. Das schreckliche Geschehen im Konzentrationslager und die gefährliche Lage, in die Bärlach gerät und die mit aller Schauerlichkeit, deren die Gattung fähig ist, erzählt wird, sind für den Schriftsteller Anlaß, die alte Frage nach dem Menschen zu stellen, nach dem, was der Mensch sei. Wie ist es möglich, daß sich der Mensch zu solchen Verbrechen hinreißen läßt, die doch nicht nur sinnlos sind, sondern auch das Menschsein an sich in Frage stellen. Im Schlüsselgespräch des Romans rechtfertigt der Arzt seine Verbrechen aus der Sinnlosigkeit der Welt, einer Welt, die sich nicht nach dem Gesetz richte (also Schuld und Sühne ungerecht, sinnlos verteile), deren Gesetz der gesetzlose Zufall ist: ,,Es ist unsinnig in einer Welt, die ihrer Struktur nach eine Lotterie ist, nach dem Wohl der Menschen zu trachten, als ob es einen Sinn hätte, wenn jedes Los einen Rappen gewinnt und nicht die meisten nichts, wie wenn es eine andere Sehnsucht gäbe als nur die, einmal dieser einzelne, einzige, dieser Ungerechte zu sein, der das Los gewann. Es ist Unsinn, an die Materie zu glauben und zugleich an einen Humanismus, man kann nur an die Materie glauben und an das Ich. Es gibt keine Gerechtigkeit – wie könnte die Materie gerecht sein –, es gibt nur die Freiheit, die nicht verdient werden kann – da müßte es eine Gerechtigkeit geben –, die nicht gegeben werden kann – wer könnte sie geben –, sondern die man sich nehmen muß. Die Freiheit ist der Mut zum Verbrechen, weil sie selbst ein Verbrechen ist."[69] Mit stringenter Logik beweist der Verbrecher die Unlogik der Welt, die Sinnlosigkeit, gerecht sein zu wollen in einer Welt, die Gerechtigkeit gar nicht zuläßt. Der Hüter des Gesetzes Bärlach, dessen Tätigkeit ihren Sinn doch darin findet, die Gerechtigkeit herzustellen, erscheint als Narr, wie es die ehemalige Kommunistin, die sich dem KZ-Schergen aus Enttäuschung über die kommunistische Ungerechtigkeit angeschlossen hat, dem Kommissär vorhält: „Das habe ich mir schon gleich gedacht, daß Sie zu jener Sorte von Narren gehören, die auf die Mathematik schwören. Das Gesetz ist das Gesetz. X = X. Die ungeheuerlichste Phrase, die je in den ewig blutigen, ewig nächtlichen Himmel stieg, der über uns hängt [. . .]. Das Gesetz ist nicht das Gesetz, sondern die Macht; dieser Spruch steht über den Tälern geschrieben, in denen wir zugrunde gehen. Nichts ist sich selber in dieser Welt, alles ist Lüge."[70] Indem sich die Welt als gesetzlos, sinnlos, inhuman darstellt, ist es gerechtfertigt, allein aus dem eigenen Ich, den eigenen Anlagen gemäß zu leben – ohne jede Rücksicht auf andere; was einem die Lotterie nicht zuspielt, nimmt man sich mit Macht und Erpressung. Aus dieser Einsicht geht der KZ-Folterknecht den eigenen, schon früh offenbarten sadistischen Neigungen nach, unfähig, in der Welt einen anderen Sinn zu finden als den, sich selbst auf Kosten anderer auszuleben; „sich diesen Punkt des Archimedes zu erobern ist das Höchste, was der Mensch erringen kann, ist sein einziger Sinn im Unsinn dieser Welt".[71]

Der dritte Kriminalroman erscheint erst 1958: ‚Das Versprechen‘. Ihm geht 1957 ein Filmdrehbuch voraus zu dem Film ‚Es geschah am hellichten Tag‘, und es zeigt, daß Dürrenmatt in der Lage ist, ein spannendes, durchdachtes und durchaus auch konventionelles Geschehen in Szene zu setzen. Der Film soll Kinder davor warnen, sich ihnen unbekannten Personen anzuvertrauen, und er will zugleich Eltern auf mögliche Gefahren aufmerksam machen. Der Film erzählt die Aufklärung des Mords an einem Mädchen, das sich einem Triebverbrecher anvertraut, von ihm Geschenke entgegengenommen hat und schließlich von ihm umgebracht worden ist; der Kriminalkommissar rekonstruiert den Fall, stößt so auf den Mörder, der bereits das nächste Opfer gefunden hat. In einem spannenden Finale – der Verbrecher will sich wieder mit dem Opfer treffen, die Polizei stellt ihm eine Falle, jedoch nicht ohne das Mädchen gegen eine Puppe ausgetauscht zu haben – wird der Täter überführt; die Überlegungen des Kommissars haben sich als richtig erwiesen. Der Roman folgt dem äußeren Geschehen des Films durchaus; auch dort wird die Aufklärungsarbeit des Kommissars geschildert, gezeigt, wie er allmählich Hinweise bekommt, wie die ersten Anhaltspunkte sich ergeben; aber während im Film der Triebverbrecher überführt wird, bleibt der Kriminalroman – als Gegenentwurf – ohne diese Lösung. Der Kommissar, hier Matthäi mit Namen, gibt den Eltern der Gritli Moser das Versprechen, den Mörder zu überführen, obwohl der Fall auf seinen letzten Diensttag fällt (er wird ins Ausland versetzt). Wie im Film deckt er die möglichen Verbindungen auf, kommt dem Mörder auf die Spur, nimmt eine Frau mit einem Mädchen zu sich, das er ohne Wissen der Mutter als Köder für den Mörder benutzt; die Anzeichen mehren sich, daß das Mädchen den Verbrecher getroffen hat und Matthäi – der längst auf sein Auslandsunternehmen verzichtet hat – legt den Hinterhalt. Aber es tut sich nichts. Matthäi jedoch verbeißt sich in den Plan, scheidet aus dem Polizeidienst aus, überzeugt davon, den Mörder einmal zu überführen. Am Ende ist er ein verkommener, halb wahnsinniger Mann, der am Straßenrand sitzt und auf den nichteintreffenden

Mörder wartet: „Ich warte, ich warte, er wird kommen, er wird kommen", spricht er immer wieder vor sich hin.

Dürrenmatt gab diesem Roman den Untertitel ‚Requiem auf den Kriminalroman' (genauer müßte es ‚Requiem auf den Detektivroman' heißen). Indem der Detektiv den Mörder nicht mehr überführen kann, stellt sich die Gattung selbst in Frage, ist sie zuende. Der Mörder, dessen Falle vorbereitet ist, kommt, wie es sich viel später zufällig herausstellt, auf dem Weg in die Falle durch einen Autounfall ums Leben; der Zufall macht den schlauen Plan des Kommissars zunichte. Daß Dürrenmatt auf dieses ‚Requiem' verfiel, liegt in der Konsequenz der früheren Kriminalromane. Dr. H., der ehemalige Kommandant der Kantonspolizei Zürich, der dem fiktiven Kriminalschriftsteller des ‚Versprechens' die Geschichte erzählt, sagt kritisierend zu diesem: „Ihr baut eure Handlungen logisch auf; wie bei einem Schachspiel geht es zu, hier der Verbrecher, hier das Opfer, hier der Mitwisser, hier der Nutznießer; es genügt, daß der Detektiv die Regeln kennt und die Partie wiederholt, und schon hat er den Verbrecher gestellt, der Gerechtigkeit zum Siege verholfen. Diese Fiktion macht mich wütend. [...] in euren Romanen spielt der Zufall keine Rolle, und wenn etwas nach Zufall aussieht, ist es gleich Schicksal und Fügung gewesen [...]. Ein Geschehen kann schon allein deshalb nicht wie eine Rechnung aufgehen, weil wir nie alle notwendigen Faktoren kennen, sondern nur einige wenige, meistens recht nebensächliche. Auch spielt das Zufällige, Unberechenbare, Inkommensurable eine zu große Rolle. Unsere Gesetze fußen nur auf Wahrscheinlichkeit, auf Statistik, nicht auf der Kausalität, treffen nur im allgemeinen zu, nicht im besonderen. Der einzelne steht außerhalb der Berechnungen."[72]

Entwirft Dr. H. zu Beginn das Schema einer Detektivgeschichte, so stellt er dann dem Schema die Wirklichkeit gegenüber und verwirft es als Fiktion, als Dichtung. Das Schema ist von der Rationalität der Welt bestimmt, die der Detektiv bloß nachzuvollziehen hat, um den Fall mit logischer Stringenz zu lösen, und das Schema verheißt Gerechtigkeit, um zu beweisen, daß die Amoralität seiner Stoffe keine Amoralität der Gesinnung bzw. der Welt ist, im Gegenteil. Dr. H. verlangt vom Kriminalroman die Wendung zur Realität, verlangt, daß er diese ihn wütend machende Fiktion überwindet; er erzählt dem Schriftsteller die Geschichte vom Versprechen als Beweis dafür, daß die Realität dem Schema widerspricht, daß der Zufall auch den genialsten Plan zunichte machen kann; er überläßt am Ende seine in der Fiktion des Romans als Realität ausgegebene Geschichte dem Schriftsteller, mit ihr zu machen, was er wolle. Der Schriftsteller in der Geschichte liefert dann nicht nur die Geschichte selbst, sondern auch die Geschichte zur Geschichte; und er führt damit aus, war Dr. H. vorgeschlagen hat: er erzählt die Geschichte als Requiem auf den Kriminalroman, und zwar *weil* er realistisch sein will.

Wenn Günter Waldmann, den Tatbestand mißachtend, Dürrenmatt die Realistik abspricht, ja ihm geradezu ihre Verschleierung vorwirft, macht er es sich zu einfach: er wendet das traditionelle Schema des aufklärerischen Detektivromans als Argument gegen Dürrenmatt, obwohl dieser ausdrücklich das Schema als Fiktion, als der gegenwärtigen Realität, vor allem dem gegenwärtigen Wissen nicht mehr entsprechend, verwirft. Dr. H. beruft sich in seinem Plädoyer für einen realistischen Roman ausdrücklich auf die Wahrscheinlichkeitstheorie, nach der der Einzelfall außerhalb der Berechnung bleibt; der Einzelfall ist vom Zufall bestimmt. Wenn Waldmann das aber Dürrenmatt vorhält, so argumentiert er mit Erkenntnissen des 19. Jahrhunderts gegen Erkenntnisse des 20. Jahrhunderts, indem er die ehemals aufklärerische Tendenz der Detektivgeschichte anachronistisch als für die heutige auch gültig im grundsätzlichen Sinn erklärt. Dürrenmatt jedoch will gerade vorführen, daß nach dem Stand des heutigen Wissens die Detektivgeschichte anachronistisch, ihre Fiktion einer geschlossenen, vollständig rationalen und im einzelnen erkennbaren Welt ärgerlich geworden ist. Oder anders gesagt, er will zeigen, daß der Glaube der Detektivgeschichte an Rationalität in der heutigen Welt irrational ist.

Und die Folgerungen gehen weiter: indem Dürrenmatt auch in seinen beiden frühen Kriminalromanen ausgerechnet die Verbrecher darauf beharren läßt, daß die Welt durch den Zufall bestimmt ist, daß es keine Gerechtigkeit gibt, widerlegt er da bereits das Schema der Detektivgeschichte. In ,Der Richter und sein Henker' kann Bärlach den Verbrecher Gastmann nur dadurch zur Strecke bringen, daß er ihn eines Verbrechens überführen läßt, das er gar nicht begangen hat, oder drastischer, dem Roman angemessener gesagt: er hetzt den Mörder als sein Werkzeug auf Gastmann, diesen zu liquidieren. Der Kommissär spielt sich nicht nur selbstherrlich zum Richter auf, er benutzt auch noch seinen Untergebenen als Henker, wobei es keine Entschuldigung sein kann, daß dieser ein Mörder ist. Das heißt, daß auch Bärlach genaugenommen nicht anders als ein Verbrecher handelt, ein Verbrecher ist, der sein Amt mißbraucht, um eine private Wette mit unlauteren Mitteln zu gewinnen. Auch im ,Verdacht' ist Bärlach durchaus keine positive Figur: er begibt sich nicht nur leichtfertig in die Hände des Arztes, er bringt auch den Schriftsteller Fortschig (ein ironisches Selbstporträt Dürrenmatts) in die Gefahr, die ihn das Leben kosten wird, auch wenn er für ihn Sicherheitsvorkehrungen getroffen hat. Entscheidender im ,Verdacht' jedoch ist, daß Bärlach der inhumanen Lebensphilosophie des Sadisten nichts entgegenzusetzen hat und auf die Frage, woran er denn glaube, schweigt. Er schweigt, weil er ein Gerechtigkeitsfanatiker ist, der um jeden Preis seine starre, die ehemals humane Intention längst ins Gegenteil verkehrende Auffassung, daß es in der Welt gerecht zugehe, durchsetzen will und dabei auch über Leichen geht. Die Humanität ist so wenig bei ihm wie beim sadistischen Arzt. Daß Bärlach durch die Dürrenmatt-Literatur als positive, wenn auch skurrile Figur herumgeistert, läßt sich kaum anders als mit dem Bedürfnis erklären, den Autoritäten unbenommen zu vertrauen. Schon die beiden ersten Kriminalromane Dürrenmatts sind Abgesänge auf die Gattung, indem sie in der Hauptfigur das Schema der Gerechtigkeit negieren.

Aber das ist noch nicht das letzte Wort. Wenn Dürrenmatt im

‚Versprechen' ganz rational und auf der Höhe der Zeit mit der Wahrscheinlichkeit operiert und auf dieser Grundlage einen realistischen Fall gestaltet, der die Fiktion der Detektivgeschichte und ihre ‚Logik' entlarvt, so ist es auch Tatsache, daß er die Wahrscheinlichkeitstheorie dazu benutzt, die grundsätzliche Zufälligkeit der Welt, ihre letztliche Irrationalität rational abzusichern. Menschliches Planen und Entwerfen sind sinnlos, weil die Welt unberechenbar ist. Das aber ist eine unlautere Konsequenz: anstatt mehr komplexe Wirklichkeit zuzulassen, auch den einzelnen in die komplexen Bezüge des Allgemeinen zu stellen, wird die rationale Welt kurzum für tot erklärt. In der Fixierung auf den Einzelfall bemerkt er nicht, daß aus der Ausnahme, aus der Individuation das allgemeine Prinzip, das Prinzip der Welt stilisiert wird, das nicht mehr bedenkt, daß auch dieser Einzelfall in Bezügen steht, die keineswegs beliebig sind, wie suggeriert wird. Das trifft auch auf die philosophischen Folgerungen zu, die aus den Entdeckungen der modernen Naturwissenschaften gezogen worden sind und zu denen Dürrenmatt poetische Modelle entwirft: wenn Jacques Monod behauptet, daß aus der Tatsache, die Mutationen liefen nicht gesetzmäßig, sondern zufällig ab, zu schließen sei, ,,nichts als der Zufall, die absolute, blinde Freiheit" sei die ,,Grundlage des wunderbaren Gebäudes der Evolution", so unterschlägt er, daß die Zufälle nur innerhalb bestimmter Notwendigkeiten eintreten, daß der Zufall weder absolut noch blind, sondern nur innerhalb bestimmter Grenzen wirkt und wirken kann. Salopp gesagt: aus der Mücke kann auch durch den schönsten blinden Zufall kein Elefant werden. Die philosophischen Schlußfolgerungen aus den naturwissenschaftlichen Ergebnissen verabsolutieren den Einzelfall und vergessen, daß er doch noch in Bezügen steht, oder anders gesagt, sie vergessen, daß mit der Entdeckung des Unbestimmten, ‚Zufälligen' die Kausalität, die Notwendigkeit nur eingeschränkt, als alleiniges Prinzip, nicht aber grundsätzlich widerlegt worden ist. Genausowenig ist das deterministische Weltbild des 19. Jahrhunderts durch die moderne Physik widerlegt worden (das haben nur die Philosophen, von einem

Extrem ins andere fallend, gemeint), seine Gültigkeit vielmehr wurde auf die ‚großen‘ Dinge, auf den Makrokosmos eingeschränkt; aber auch im Mikrokosmos wütet nicht der blinde Zufall; die Unbestimmbarkeit bezieht sich dort nur darauf, daß keine eindeutige Beschreibung bzw. Beobachtung möglich ist, nicht aber darauf, daß dort alles kreuz und quer durcheinandergehe. Der Zufall ist nur wirksam innerhalb notwendiger Vorgänge, sein Spielraum ist so eng, daß es kaum lohnt, davon Aufhebens zu machen.[73]

Angewendet auf das ‚Versprechen‘ heißt das: anstatt zu zeigen, daß Matthäi mit geradezu stupender, wirklichkeitsfremder Engstirnigkeit vorgeht (die durchaus pathologisch und nicht ‚genial‘ erscheint), läßt Dürrenmatt ihn am Ende doch noch recht haben, denn, wenn der glücklose Detektiv es auch nicht mehr erfahren kann, so wird sein Plan am Ende doch bestätigt. Die Welt verhält sich tatsächlich so einfach und schematisch, wie Matthäi sie kalkuliert, so einfach, daß ein solcher Zufall ihn aus der Bahn werfen kann. Anstatt komplexe Wirklichkeit vorzuführen und zu zeigen, daß der Detektiv sie nicht sieht, ist es die Ironie dieser Erzählung, daß dieser am Ende doch recht behält. Insofern sind die beiden ersten Romane, die das Detektivschema von innen aufbrechen, viel komplexer, realistischer und auch als ‚Requiem‘ überzeugender.

Mit in die Reihe der Kriminalerzählung gehört die 1956 publizierte ‚Panne‘, obwohl sie äußerlich nicht mehr dem Schema der Detektivgeschichte zu folgen scheint. Hier wird die Angelegenheit umgekehrt: es liegt kein Fall vor, es wird ein Fall geschaffen. Der Generalvertreter des „Hephaiston“-Kunststoffs Alfredo Traps, zugleich Vertreter eines „Durchschnittstyps“, kleinbürgerlich, ehrgeizig, Mitläufer der Hochkonjunktur, hat eine Panne mit seinem Studebaker, die erst am folgenden Tag behoben werden kann. Da alle Gasthöfe des Ortes überfüllt sind (Tagung der Kleinviehzüchter), geht er einem freundlichen Hinweis nach, Quartier bei einem Juristen privat zu suchen. Er wird aufgenommen, eingeführt in einen Kreis von vier betagten Juristen, die nach ihrer Pensionierung sich mit Prozeßspielen unterhalten und sich freuen, in Traps einen Angeklagten zu finden; dieser, durch die Skurrilität der Herren und durch Neugierde angezogen, ist einverstanden. Im gespielten Prozeß wird die Tatsache, daß der ehemalige Chef von Traps einem schnellen, zufälligen Herztod erlegen ist, dem Angeklagten zur Last gelegt; er erscheint am Ende als der Auslöser, weil er ein Verhältnis mit der Frau gehabt und durchaus auch Interesse an der Übernahme von dessem Posten gezeigt hat. Da die Juristen Anhänger der sogenannten ‚Bedingungstheorie‘ sind, nach der die Auslösung einer Straftat als Straftat selbst gewertet werden müsse, verurteilen sie Alfredo Traps als Mörder seines Chefs zum Tode. Freudig nimmt der Angeklagte, trotz aller Versuche des Verteidigers, ihn zu entschuldigen, das Urteil an. Das Gericht spielt sich ab vor einem zweiten Gericht, einem orgiastischen Sauf- und Freßgelage, das am Ende alle Beteiligten kaum mehr im Stande ihrer körperlichen und geistigen Kräfte zeigt. Während sich die ehemaligen Richter bei der Aufsetzung einer wohlformulierten Urteilsurkunde (als Andenken für Traps) mit Champagner der letzten Verstandeskräfte berauben, zieht sich Traps in sein Zimmer zurück und erhängt sich.

Die Erzählung ist immer wieder in dem Sinn gedeutet worden, daß Traps durch das „groteske Gericht" „seine Schuld zu Bewußtsein gebracht wird".[74] Aber schon Hans Mayer hat (ohne viel Folgen) davor gewarnt, die Geschichte so zu deuten: „ein Mensch begehe in seinem Leben oft wirkliche Verbrechen, selbst wenn diese nach dem Buchstaben des Gesetzes nicht geahndet würden".[75] Es geht nicht um Moral, um Schuld und Sühne. Das hieße, die Geschichte gründlichst mißzuverstehen.

Dürrenmatt entwirft ein Gegenmodell zur Detektivgeschichte: aus einem Zufall wird ein Fall konstruiert, unzusammenhängende Begebenheiten werden in kausale Zusammenhänge gebracht, die in der (fiktiven) Realität gar nicht gegeben sind, im Konstrukt der Verhandlung aber eine stimmige, runde, in sich geschlossene Sache ausmachen. Betont wird, daß Traps Durchschnittsmensch ist, daß er „ein Beispiel für viele" sei;[76] die bewußtlos leben; als Opfer der Epoche, zum Mord, ja zur Planung eines Mordes unfähig. Der Verteidiger sagt, Traps sei „gänzlich unvorbereitet einem raffinierten Staatsanwalt in die Hände gefallen", ein „logischer Plan [sei] ins Ganze geschmuggelt, Vorfälle [seien] als Ursachen von Handlungen dargestellt worden, die auch gut hätten anders geschehen können, Zufall hätte man in Absicht, Gedankenlosigkeit in Vorsatz verdreht, so daß schließlich zwangsläufig dem Verhör ein Mörder entsprungen sei wie dem Zylinder des Zauberers ein Kaninchen".[77] Traps, dem Verhör ausgesetzt, bisher bewußtlos lebend, erfährt im Spiel der Richter mit Staunen ein Leben, sein Leben, das bisher noch gar nicht existiert hatte: „der Gedanke, einen Mord begangen zu haben, überzeugte ihn immer mehr, rührte ihn, verwandelte sein Leben, machte es schwieriger, heldischer, kostbarer", und weiter sei ihm aufgegangen, „was es heiße, ein *wahrhaftes* Leben zu führen [...], wozu eben die höheren Ideen der Gerechtigkeit, der Schuld und der Sühne nötig seien [...], eine Erkenntnis, die ihn neu geboren habe".[78] Wird im ‚Versprechen' die Detektion zurückgewiesen, weil sie Fiktion ist, so produziert das Gericht in der ‚Panne' die Fiktion, um so zu einer Detektion zu kommen, die es ermöglicht, ein Urteil zu sprechen. Aus der Unsinnigkeit, der Zufälligkeit der Realität produzieren die pensionierten Richter ein sinnvolles Kunststück: „Was beim Bürger, beim Durchschnittsmenschen als Zufall in Erscheinung trete", sagt der Richter, „bei einem Unfall, oder als bloße Notwendigkeit der Natur, als Krankheit, als Verstopfung eines Blutgefäßes durch ein Embolus, als ein malignes Gewächs, trete hier als notwendiges, moralisches Resultat auf, erst vollende sich das Leben folgerichtig im Sinn des Kunstwerkes, werde die menschliche Tragödie sichtbar."[79] Wer diesem Kunstwerk nun auch nochmals die höhere Weihe zuspricht, indem er behauptet, daß es Traps die Einsicht in unbewußte Schuld vermittle, der müßte konsequent in der ‚Panne' eine radikale Zurücknahme des ‚Requiems' auf den Kriminalroman sehen, wobei übrigens noch die chronologische Schwierigkeit zu lösen wäre, daß diese Erzählung zwischen die drei Erzählungen zu stehen käme, die nun genau auf das Gegenteil hinausliefen. Es hieße die Konsequenz zu ziehen, daß einzig die strenge Logik es vermöchte, die nicht bewußte Schuld aufzudecken, hieße die strenge Determination in ihr Recht einzusetzen, den Zufall als Möglichkeit auszuschließen. Wenn Peter Spycher es „merkwürdig" findet, daß Dürrenmatt selbst die Parallele zu den politischen Schauprozessen im Ostblock gezogen hat, und meint, die ‚Panne' sei eigentlich mehr das Gegenteil davon, so verweist das auf die Unfähigkeit, mit der *künstlerischen* Lösung des Falls fertigzuwerden. Die Parallele zum Schauprozeß besteht darin, daß in ihm ebenfalls ein sinnvolles, logisch begründetes Geschehen ausgebreitet und die ‚Schuld' der Angeklagten stringent nachgewiesen wird. Sind die Kriminalromane Requiem auf ihre Gattung, so ist die ‚Panne' in radikaler Konsequenz „Requiem auf das Kunstwerk", auf die traditionelle Ästhetik, die mit einem geschlossenen, in sich stimmigen, sinnvollen, abgerundeten Gefüge rechnet. Und das ist die „noch mögliche Geschichte", wie der Untertitel lautet, und der in den Worten des 1. Teils der ‚Panne' ihre Begründung findet: „Die Ahnung steigt auf, es gebe nichts mehr zu erzählen, die Abdankung wird ernstlich in Erwägung gezogen, vielleicht sind einige Sätze noch möglich, sonst aber Schwenkung in die Biologie, um der Explosion der Menschheit, den vorrückenden Milliarden, den unablässig liefernden Gebärmüttern wenigstens gedanklich beizukommen, oder in die Physik, in die Astronomie, sich über das Gerüst ordnungshalber Rechenschaft abzulegen, in welchem wir pendeln."[80]

Die letzten Worte der Erzählung (das Hörspiel weist einen anderen Schluß auf) gehören dem Staatsanwalt, der entsetzt ausruft: „Alfredo, mein guter Alfredo! Was hast du dir denn um Gotteswillen gedacht? Du verteufelst uns ja den schönsten Herrenabend!"[81] Für die pensionierten Richter war das Gericht nur Spiel, Kunstgebilde, ihre Rechtsgrundsätze waren Fiktion, mehr Theologie als Jurisdiktion. Indem sich Traps erhängt, erweist er sich, so sieht es Hans Mayer,[82] noch einmal als Traps, als Spielverderber, der das kunstvoll gewobene Werk der Richter zerstört. Für die Genießer der alten Kunst, für die besoffene

Horde von Ästheten ist das Selbstgericht von Traps eine ungeheuerliche Verwechslung von Kunst und Leben. Glaubten sie, Traps sei ihrer würdig, er sei gleichrangig geworden – sie bieten ihrem ,,lieben Alfredo" das ,,Du" an –, glaubten sie, auch er lasse sich auf das kunstvolle Spiel ein, ohne es mißzuverstehen, so schauen sie am Ende verzweifelt auf das verdorbene Kunstwerk.

Und dieser Tatbestand verweist zugleich darauf, daß das künstlich gewobene Gebäude durch einen kleinen Defekt, durch ein Mißverständnis zu Fall zu bringen ist. Da ist der Plan, die vollendete Stimmigkeit, der eine Sinn – und da die ,Panne', die kleine Fehlkonstruktion, die alles zunichte macht. In der modernen Welt, die Dürrenmatt nach dem ersten Teil ausdrücklich im Modell zu fassen versucht, in der planvollen Ordnung ,,droht kein Gott mehr, keine Gerechtigkeit, kein Fatum wie in der fünften Symphonie, sondern Verkehrsunfälle, Deichbrüche infolge Fehlkonstruktion, Explosion einer Atombombenfabrik, hervorgerufen durch einen zerstreuten Laboranten".[83] Indem die Wirklichkeit selbst sich anschickt, die Züge eines vollkommenen, absolut berechenbaren und sinnvoll abgerundeten Kunstwerks anzunehmen, setzt der Künstler Dürrenmatt dagegen eine Kunst, die bewußt mit dem Unsinn, dem Zufälligen rechnet, um der Wirklichkeit beizukommen und zugleich der alten Poetik der Stimmigkeit, die mit dem vollendeten, in sich abgerundeten Kunstwerk rechnet und es mit der ,,Kunst der Interpretation" erschließt, den Kampf anzusagen.

# V. Der Platz hinter dem Mond

*Die Schweiz als Arbeitsstätte, soziales Engagement*
*und die beiden Welten (1951–1955)*

Die „Festi" ist Bleibe bis 1952. Dürrenmatt ist außerordentlich
produktiv: die Umstände zwingen ihn dazu. Er schreibt neben
den besprochenen Werken das nächste Hörspiel ‚Der Prozeß um
des Esels Schatten' und verdient sich Geld mit Theaterkritiken
während der Saison 1951/52 am Zürcher Schauspielhaus. Er
sieht unter anderem Lessings ‚Nathan', Molières ‚Tartuffe',
Schillers ‚Tell' und Shakespeare. Die Kritiken fallen unter-
schiedlich aus, die einen sind Zeitungsinformationen für den
Tag, die anderen aber Auseinandersetzungen und Selbstverstän-
digungen des jungen Autors (mit denen der gewohnte Zeitungs-
leser nur bedingt etwas anfangen konnte). So besteht die Kritik
an Sartres ‚Der Teufel und der liebe Gott' fast ausschließlich
darin, die Anlage des Mammutstücks als nicht theatergemäß zu
erweisen; er wirft Sartre vor, das Theater, das eine eigene Spiel-
welt gestaltet, und die Philosophie, die mit der Wirklichkeit
operiert, miteinander verwechselt zu haben. Außerdem bedenkt
er den zur Zeit gerade erfolgreichen Franzosen mit den Voka-
beln „Bierernst" und „Primitivität",[84] womit kaum etwas anderes als die existentialistische Grundlage des Stücks, obwohl sie
nicht eigens genannt wird, gemeint sein kann; auch zeigt die
kurze Wiedergabe der Handlung, daß Dürrenmatt mit dieser
Philosophie, denkerisch jedenfalls, nichts anzufangen weiß.
Noch aufschlußreicher ist Dürrenmatts scharfe Abrechnung mit
Carl Zuckmayers Erfolgsstück ‚Der fröhliche Weinberg'. Das
Stück, das 1925 die Vorherrschaft der Expressionisten auf dem
Weimarer Theater brach, wird von Dürrenmatt als Verschleie-
rungsstück eingestuft; er geißelt die Ahnungslosigkeit, mit der
„diese urgemütliche Weltversöhnung durch Wein, wahre Lieb'

und was man sonst noch im Volkston in Ligusterlauben und hinter der Scheune treibt", [85] nach dem zweiten Weltkrieg noch einmal serviert wird. Er sieht im krachledernen Realismus des Stücks eine unmittelbare Vorstufe zur Brutalität der Nazis, und es bleibt ihm unverständlich, daß das Zürcher Schauspielhaus meine, damit noch einmal schwere Zeiten vergessen machen zu können.

Dürrenmatts Kritik weist auf die Tatsache, daß das Interregnum der Nachkriegszeit im Bewußtsein jedenfalls schon wieder längst vorbei ist: ,,1945, das war das Jahr Null, da hatten wir alle Chancen. Aber 48 begann schon wieder eine neue Zeitrechnung, man kam mit den Jahren durcheinander. Das Interregnum war zu Ende. Die drei Zwischenjahre gehörten zum alten Eisen, zum Kehraus des Krieges. Weg mit ihnen. Jetzt geht die neue Ära an, mit den leicht verstimmten Pauken und Trompeten der Wirtschaftswundermärsche, mit frisch gebackenen Ministern, von denen wir manche noch von Anno dazumal kennen." [86] Nach einer kurzen Besinnung, die kaum so tief drang, daß sie zur Gesinnung werden konnte, setzte die scheinbar neue Zeit ein. Wirtschaftlich war die Schweiz der Bundesrepublik, für die die zitierten Sätze galten, vorangegangen. Die allgemein befürchtete Krise nach dem Krieg blieb aus; im Gegenteil: es kam der wirtschaftliche Aufschwung, der erste von 1945 bis 1949, der zweite ab 1950 (ausgelöst durch den ,,Koreaboom": Angstkäufen aus Furcht vor einem neuen Krieg), der bis 1957 anhielt. Dürrenmatt, das zeigt seine Kritik, läßt sich davon nicht blenden; er beharrt auf der Auseinandersetzung mit der Vergangenheit, die ja notwendig auch eine mit der Gegenwart ist.

Ähnlich kritisch ist auch ‚Der Prozeß um des Esels Schatten' angelegt. Daß Dürrenmatt zu dieser Zeit Hörspiele schreibt, resultiert aus der schwierigen materiellen Situation der Familie, aber auch aus den Theater-Mißerfolgen, den die ersten Dramen zunächst gebracht haben. Das Hörspiel, auf das hier gesondert einzugehen leider nicht der Ort ist, hatte für die Autoren der Nachkriegszeit eine wichtige Funktion (die jetzt zum Teil vom Fernsehen übernommen worden ist): Es war in erster Linie eine relativ gute Verdienstmöglichkeit (die Bücher brachten nur bei extrem hohen Auflagen wirklich etwas ein), diente aber auch dazu, die Namen der jungen Autoren bekannt zu machen und ihnen damit bei der Verbreitung ihrer Texte zu helfen.

Der ,Prozeß' behandelt wieder einen historischen Stoff, genauer: einen fiktiv-historischen Stoff; der genaue Titel heißt denn auch: ,Der Prozeß um des Esels Schatten. Nach Wieland – aber nicht sehr'. Die Aufnahme der Vorlage in den Titel zeigt, daß Dürrenmatt nicht wie mit seinen früheren ,,ungeschichtlich historischen Dramen" ein eigenes Modell erstellen will, sondern bewußt einen literarischen Gegenentwurf zu Wielands ,Abderiten' gestaltet, einen Gegenentwurf, der die historische Vorlage zeitgenössisch richtigstellt. Dort der leichte, vernünftige, durch und durch optimistische Vorwurf Wielands mit seinem guten Ende – hier der Gegenentwurf, der aus der kleinen Ursache eine große Katastrophe werden läßt; handelt doch der Prozeß um den Streit, ob denn der Schatten eines Esels zum Esel selbst gehöre oder aber etwas Gesondertes sei, das eigenes Dasein beanspruchen könne: aus dem kleinen Streit wird ein großer, es bilden sich Parteiungen (pro und contra Esel), die einander erst mit Worten, dann mit Gewalt bekriegen, bis darüber das ganze Gemeinwesen zugrunde geht. Das Schema: kleine Ursache – große Wirkung, ist weltliterarisch vorgebildet im Trojastoff (Urteil des Paris, Raub der Helena, Untergang Trojas, der Fluch auf die Trojanischen Helden, von Agamemnon über Odysseus bis zu Äneas, dem sagenhaften Gründer Roms), und in diesem Weltmaßstab ist auch dieser ,Prozeß' zu werten: die Warnung vor der Auslösung eines Weltenbrandes inmitten des Kalten Kriegs, vor der kleinen Ursache mit den großen Folgen. Insofern dient der literarische Vorwurf als direkter Kommentar zur zeitgenössischen Situation. Zugleich spiegelt das Stück die Haltung eines kleinen verschrobenen Landes, das sich an seinen Kleinigkeiten zugrunde zu richten droht: ,,Es geht darum, aus Abdera endlich einmal eine Stadt zu machen, die auf der Höhe der heutigen Zivilisation steht. [...] Die Zeit eilt, Abderiten! Wir leben in der entscheidendsten Epoche der Weltgeschichte!

Mitten in der Auseinandersetzung zwischen Athen und Sparta! Zwischen dem Geist und dem Materialismus, zwischen der Freiheit und der Sklaverei!"[87]

Anfang 1952, als die „Festi" anderweitig benötigt wird, entschließen sich die Dürrenmatts, inzwischen fünfköpfig, ein Haus zu kaufen, weil die Miete für eine Vierzimmerwohnung teurer ist als der Hypothekenzins für das geliehene Geld: „Preis 60 000 Franken. Wenig, wenn man ihn mit dem Objekt verglich, einem herrlich gelegenen 6-Zimmerhaus mit traumhafter Aussicht, völlig unverbaubar, Südlage, großer Garten, einziges Haus auf weiter Flur."[88] Der (vorläufig) endgültige Arbeitsplatz hinterm Mond war gefunden, in Neuenburg (Neuchâtel) am Waldrand, auf einem Hügel, an einer schmalen einsamen Straße, die im Winter (mindestens bis 1963) nicht befahrbar war, mit weitem Blick, ausgestattet mit mindestens einem Hund, der unliebsame Besucher (und das sind die meisten) zurückhält. Diesen Wohnsitz hat Dürrenmatt – wenn auch inzwischen kräftig erweitert – bis heute beibehalten, und er kann, so sagt es seine Frau, eigentlich nur hier richtig, d. h. konzentriert, schreiben und seinen Einfällen nachgehen (von der Theaterarbeit abgesehen).[89] Es war schon die Rede davon, daß der Rückzug in die Enge kein Bekenntnis zur Enge mit sich brachte, vielmehr die Distanz und die Ruhe zum Sehen, Beobachten und Schreiben. Der Arbeitsplatz findet seine kritische Würdigung in einem Gedicht, das in dieser Zeit entstanden sein muß, und das ‚An mein Vaterland' überschrieben ist. Da heißt es zunächst: „mein Land, lächerlich, mit zwei, drei Schritten zu durchmessen", dann kommt der Hinweis auf seine zentrale, aber auch abseitige Lage: „mitten in diesem unglückseligen Kontinent, genagelt an sein faules Holz", eine kaum blasphemisch gemeinte Christusanspielung, die auf die Selbstgenügsamkeit, aber wohl auch hohle Christlichkeit verweist; dann folgt das Mondbild: „Die Erde, die dich trägt, versteint, Hügel an Hügel getürmt / Zu einer Landschaft des Monds, sich an der Ewigkeit brechend, deren Küste du bist . . .". Mondlandschaft meint hier weniger die Unbewohnbarkeit (die Landschaft der Berge, des Jura), vielmehr die abseitige, abgewendete Lage inmitten des Kontinents, also den Widerspruch in sich, zugleich aber auch, und das ist bemerkenswert, meint die Mondlandschaft eine Nähe zur Ewigkeit, zur Transzendenz, so daß die Distanz, die Ferne zur unmittelbaren Historie der Welt zugleich eine Nähe zur Transzendenz begründet, so daß die Weltferne, die Distanz zugleich eine Mitte zwischen Welt und Gott ist. Weiterhin spricht das Gedicht (u. a.) noch vom Wohlstand: ,,Deine Sattheit mit Füßen stampfend, höhne ich dich, wo du schlecht bist. / Deine Ahnen lassen mich kalt, ich gähne, wenn ich von ihnen höre.''[90] Dürrenmatt weist nicht nur die nationale Tradition der Schweiz als unmaßgeblich zurück – insofern versteht er sich als Weltbürger –, er geißelt vor allem auch ihre saturierte Bürgerlichkeit und versteht sich so als ihr Kritiker. Vorgetragen wurde das Gedicht zu verschiedenen Anlässen, meist als bewußte Provokation des Publikums, das erst einmal aufgeschreckt werden sollte; die kritische Schweiz akzeptierte es als eine Art ,,Nationalhymne''.[91]

1952 wird in München ,Die Ehe des Herrn Mississippi' uraufgeführt. Theo Otto war mit dem Stück hausieren gegangen und endlich bei Hans Schweikart gelandet. Wenn auch die Kritiken (und das bleibt weiter so in Deutschland) nicht übermäßig freundlich mit der ,,dämonischen Revue''[92] umgingen, so begann doch mit München der Erfolg des Autors; wollte man stilisieren, so setzte sich Dürrenmatt gegen seine Kritiker beim Publikum durch; aber die Kritiker halfen ihm doch mehr, als er zugeben möchte.

Das Jahr 1952 wird überdies markiert von der Sammelausgabe der frühen Erzählungen unter dem Titel ,Die Stadt', zu der noch eine weitere Erzählung ,Der Tunnel' aus demselben Jahr hinzukommt. Mit dem ,Tunnel', das mit dem berühmten Selbstportrait des Berner Studenten beginnt, schreibt sich Dürrenmatt in die Schullesebücher und Fachdidaktiken hinein; sie ist eine Kurzgeschichte, die geradezu dazu geschaffen scheint, an ihr das Genre einzuüben; hintergründig, irrational und gottesfürchtig und zugleich schmissig erzählt.

Als Eva Perón 1952, die in Argentinien vergötterte „Evita"
des Diktators Juan Perón, in noch fast jugendlichem Alter starb,
löste ihr Tod eine Anteilnahme aus (im Ausland in den Illustrierten), daß manche Zeitgenossen sich mit Grausen abwandten;
Dürrenmatt gehörte zu ihnen: der Fall soll das auslösende Moment für sein Hörspiel ‚Stranitzky und der Nationalheld‘ gewesen sein.[93] Mit ihm setzt er sein unmittelbares Engagement, die
zeitgenössische Umwelt verarbeitend, fort. Gegenübergestellt
wird die lächerliche Erkrankung des Nationalhelden Baldur von
Moeve, „den alle Welt kennt und von dem die ganze Welt
spricht", erkrankt an einem Geschwür am Zeh, und die des
Invaliden Stranitzky, des ehemaligen Fußballspielers, dem beide
Beine „durch die peinlichen Unglücksfälle der Epoche" abhanden gekommen sind.[94] Damit nimmt Dürrenmatt die Thematik
des „kleinen Mannes" auf, der als Opfer der Kriege verheizt,
verstümmelt oder vergast worden ist, der nach den peinlichen
Unglücksfällen als Sozialempfänger den Dank des Vaterlandes
in Form von Armut und gesellschaftlichem Außenseitertum
empfängt, als Toter mit dem Denkmal des „Unbekannten Soldaten" geschmückt wird und in den Geschichtsbüchern oder
Illustrierten nachlesen darf, was für großartige Schlachten seine
Schinder für ihn geschlagen haben. Baldur von Moeve (mit dem
unüberhörbar vertraut klingenden Namen) ist ein solcher ver-
himmelter Geschichtemacher, dessen Erkrankung bereits eine
vielbewunderte „politische Tat"[95] darstellt. An ihn heftet sich
der lüsterne Kammerdienerblick der Hofhistoriographie und
der Boulevardpresse, die großaufgemacht den Mitbürger auffordert, das tiefe Leiden des Helden mitzuempfinden und in der
Suche nach neuen Sensationen auf nichts Besseres verfällt, als
Stranitzky, den Fußballer ohne Beine, und seinen Freund Anton, den Marinetaucher ohne Augen, in die eigenen Zwecke
einzuspannen (Stranitzky liefert Anton die Augen, während
dieser ihm die Beine zur Verfügung stellt). Stranitzky ist fälsch-
lich der Meinung, durch seine Krankheit sei der Nationalheld
nun einer der ihren geworden: „Aber nun ist alles anders geworden. Nun gehört der Moeve zu uns. Er ist aussätzig, und wir

69

sind invalid. Er wird uns nun verstehen."[96] Er setzt sich in den Kopf, Moeve aufzusuchen und ihm anzubieten, ,,mit uns eine Regierung zu bilden": ,,Zum Regieren braucht man keine Glieder", ist seine lapidare Begründung. Nach einem ersten mißglückten Versuch, zum Helden vorzudringen, wird die Presse auf das merkwürdige Paar aufmerksam und sieht in ihm einen willkommenen Anlaß, ,,die tiefe Liebe, die das Volk unserem Nationalhelden entgegenbringt", einmal mehr dem übrigen Volk zu demonstrieren, damit dieses ja vergesse, daß es eigene Interessen hat; die Streiks um höhere Löhne sind bereits abgesagt, seien doch ,,in Anbetracht der Krankheit unseres Nationalhelden materielle Streitigkeiten nicht am Platze".[97] Der Empfang wird also inszeniert; Stranitzky aber bringt die offizielle Feierlichkeit durcheinander, indem er mit wohleinstudierten Worten dem Nationalhelden seine Regierungspläne vorträgt; die Verlegenheit Moeves und der Offiziellen dauert jedoch nur kurz: der Radiobericht über den Empfang läßt Stranitzkys Ansprache einfach aus, übrig bleibt der ,,schlichte Empfang" und ein gerührtes Wort des Helden ob solcher tiefen Volkesliebe. Den Verrat durchschauend lenkt Stranitzky den Weg des augenlosen Anton ins Meer: ,,Sie kamen vom Meer her, von der Flut getragen, zwei riesenhafte Wasserleichen, der Fußballspieler auf dem Rücken des Blinden", ,,und der Beinlose hatte seine trotzige Faust gegen den Nationalhelden gereckt".[98]

,Stranitzky' ist die erste und wohl auch bissigste Satire des Schweizers auf seinen Wohlstandsstaat mit der Skrupellosigkeit seiner Presse, die alles andere als demokratisch sich an die sogenannten Leiden der sogenannten Großen hängt und darüber alle humanen Belange der Menschen verdeckt und übergeht; sie führt die Manipulation der Massen durch die Medien vor, und zwar nicht bloß als Rückblick in den Hitlerstaat, sondern auch als Vorblick auf die sich ausbreitenden, alles in ihren Sensationen zermalmenden Massenmedien; damit problematisiert Dürrenmatt zugleich das Medium seines Spiels, des Hörspiels als Hörspiel: indem er als Spiel im Spiel die Szene vor dem Nationalhelden in der Verdoppelung vorführt, einmal ,,real", einmal manipuliert, und so unter Verwendung des Mediums die möglichen Manipulationen durchs Medium mit vorführt.

Nach Hans Bänziger zeichnet das Stück „der Hauch eines (für Dürrenmatt wohl einmaligen) sozialen Engagement" aus;[99] dem ist beizupflichten, wenn auch „Hauch" ein viel zu gelindes Wort ist für die Drastik, mit der Dürrenmatt nicht nur das Medienunwesen vorführt, sondern auch die sozialen Gegensätze, so wenn Stranitzkys Wohnhaus beschrieben wird als „oftmals beschädigt durch die peinlichen Unglücksfälle der Epoche, wunderbarerweise noch nicht zusammengestürzt", wenn Held und Prolet aufeinanderprallen etc. Das ist alles drastisch und engagiert vorgeführt. Dennoch hinterläßt das Spiel einen unguten Eindruck. Ich halte es für ärgerlich, daß die beiden Invaliden, die ja fürs Volk stehen, genauer: fürs Proletariat, ausgesprochene Deppen sind, die sich verführen und vorführen lassen, ohne auch nur einen wirklich realen Gedanken zu haben. Da ist nichts von plebejischer Direktheit, nichts von jener Konkretion, die gerade die alltägliche Sprache gegenüber der Phrasenhaftigkeit der Privilegierten auszeichnet. Zwar wird Stranitzky das Lied in den Mund gelegt: „Da kam ein ander Spielchen / Das Spiel der großen Herrn / Die Bälle, die sie schossen / Die sahen wir nicht gern / Da zahlten wir die Gage / Und die war gar zu groß / Da wurdet ihr der Kinder / Und ich der Beine los",[100] das an beste Brechtsche Zeiten erinnert, aber Stranitzky und Anton sind von diesen Einsichten und dieser entlarvenden Sprache gerade nicht berührt. Ihr Einfall, die Phrase von der Kameraderie der Geschädigten („Wir sitzen alle in einem Boot"; Kennedy: „Ich bin ein Berliner") ernst zu nehmen, mag zwar skurril sein, von realem Bewußtsein, von realer Sprache, von plebejischer Haltung zeugt er nicht; das ist kleinbürgerlich, verschleiernd im Glauben, durch die bessere Idee sei schon die soziale Wirklichkeit zu ändern. Es ist die ernst genommene Phrase. Führt das Hörspiel zwar die grausame Desillusionierung dieses „Idealismus" vor, so bleibt doch der schale Nachgeschmack, daß das Spiel nicht lohnte, daß die Realitätsfremdheit der Invaliden nur erbarmungswürdig, nicht aber Grundlage für einen ernsthaften Versuch sein könnte. Sie am Ende dafür auch noch sterben zu lassen, erscheint mehr als Hohn, als Zynismus gegenüber denjenigen, die auch hier wieder die Opfer sind. Der Einfallsreichtum des Autors ist auf eine Grenze gestoßen: die soziale Realität, die er selbst rief, setzt sie; und sie ist eine Frage nach der Realität des Autors.

Den Mangel an Aussicht, die soziale Wirklichkeit lasse sich unter den Umständen ändern, hat ein weiteres Hörspiel, das schon 1951 verfaßt, 1952 in den Münchner Kammerspielen szenisch uraufgeführt worden ist, zum Thema, und zwar ‚Nächtliches Gespräch mit einem verachteten Menschen'. Das Hörspiel ist Nachklang der vierziger Jahre: vorgeführt wird eine vollkommene Diktatur, die durch ihre Vollkommenheit gerade übersichtlich und berechenbar wird: „Man kann in diesem verfluchten Staat alles berechnen, denn nur das Primitive ist wirklich übersichtlich. Die Dinge nehmen einen so logischen Verlauf, als wäre man in eine Hackmaschine geraten."[101] Ein „Mann", der sich weigert, der Diktatur beizupflichten, wird vom Henker aufgesucht, und zwar in seinem Haus, weil der Staat den Tod in seine Ordnung miteinbezogen hat. Ein Beamter soll den Mann in aller Abgeschiedenheit, ohne Öffentlichkeit, in seinem privaten Bereich abschlachten; auch das Persönlichste, „Eigentlichste" (nach Heidegger), was dem Menschen bleibt, wird verplant, Sache eines Beamten. Merkwürdig an diesem Stück ist, daß der Mann, obwohl er die grausige Inhumanität des Henkerauftrags durchschaut, am Ende das über ihn verhängte Urteil annimmt; die Annahme resultiert aus den folgenden Worten des Henkers: „Mich fürchtet man, aber die Mächtigen werden nicht nur gefürchtet, sondern auch bewundert; beneidet genießen sie ihre Schätze, denn die Macht verführt, so daß man liebt, was man hassen sollte. So schließen sich Helfer und Helfershelfer an die Gewaltigen, wie Hunde schnappen sie nach den Brocken der Macht, die der Gewaltige fallenläßt, sich ihrer zu bedienen. Der Obere lebt von der entlehnten Macht des Unteren und umgekehrt, ein dunkles Gefüge von Gewalt und Furcht, von Gier und Schmach, das alle umspannt und endlich einen Henker gebiert, den man mehr fürchtet als mich: die Tyrannei, die immer neue Massen in die endlosen Reihen ihrer Schinderhütten treibt, sinnlos, weil sie nichts ändert, sondern nur vernichtet."[102] Es gibt also keine Aussicht. Wenn die Massen, die Brocken der Macht zu erhaschen, sich selbst in die Ohnmacht begeben, hat es keinen Sinn, sich aufzulehnen, da ja niemand hören und sehen will. Wenn Dürrenmatt jedoch das Spiel unterschreibt mit ‚Ein Kurs für Zeitgenossen‘, so scheint darin ein Appell zu liegen, sich nicht noch einmal der Primitivität des scheinbar vollkommenen Staats zu unterwerfen, dem Spiel der Macht, seinem Gefüge die Gefolgschaft aufzukündigen. Insofern könnte ‚Stranitzky‘ hier sein korrigierendes Pendant gefunden haben; aber die Münchner Zeitgenossen, die das Stück heftig beklatschten, projizierten das Thema als willkommene Ablenkung auf den Ostblock und fühlten sich im seine eigene Primitivität entwickelnden sogenannten Wohlstandsstaat nicht angesprochen.

Begleitet werden die besprochenen Werke durch Lektüre, die sich in Aufzeichnungen niederschlägt, und durch Reflexionen zum Theater, die 1952 mit der ‚Anmerkung zur Komödie‘, 1954/55 dann mit den ‚Theaterproblemen‘ an die Öffentlichkeit kommen. Der Theatertheorie ist im anschließenden Abschnitt ein eigenes Kapitel gewidmet. Von der Lektüre sollte hier ein Hinweis auf Karl Kraus nicht fehlen, dessen ‚Dritte Walpurgisnacht‘ Dürrenmatt in dieser Zeit gelesen hat und zu der er aufschlußreiche Bemerkungen notierte. Er betont, aus Kraus' Werk gehe hervor, daß Hitler nicht, wie gern im Westen formuliert worden ist, ein „Genie des Bösen" gewesen sei, der große Verführer, dessen Faszination die Massen erschauern ließ, sondern ein Durchschnittsmensch, der sich gerade deshalb durchsetzen konnte[103] – ein Hinweis auf die Latenz des kleinbürgerlichen Faschismus. Dann lobt er an Kraus, daß für ihn der „Geist" etwas „Konkretes war, die Sprache nämlich", und daß er sich deshalb geweigert habe, „ins Allgemeine Reißaus zu nehmen und über Vorgänge die Augen zuzudrücken, ‚gegen die es in Chicago Polizeischutz gibt'"; und er plädiert damit für eine politisch konkrete Literatur. Bezeichnend für Dürrenmatt ist, daß er die Flucht ins Allgemeine ausdrücklich ablehnt und also seinen distanzierten Standpunkt nicht als Gegensatz zu konkretem Schreiben auffaßt; Hitler habe zwar fast alles erobert, aber nicht die Sprache: „Die Sprache rächt sich an Hitler, das Zitat verhaftet ihn, die Grammatik wird zur Guillotine", und er schreibt über Kraus: „Er stellt ihn [Hitler] in die Sprache, wie Shakespeare Mörder in die Szene stellt. Die Dinge werden absurd, indem sie das Medium der Sprache passieren, eine Komödie entsteht, die sich die Tragödie des deutschen Volkes selber schrieb, durch die Sprache wird eine Prognose der Hitlerzeit möglich, der die kommenden Jahre nur noch Quantitatives beifügen können." Das ist nicht nur Selbstverständigung eines Schriftstellers, sondern zugleich die Einsicht, daß Sprachkritik, die Insistenz, das scheinbar unbeschreibliche Geschehen doch in Sprache zu fassen, eine entschiedene Möglichkeit ist, die Geschehnisse doch zu prognostizieren, ihre Ungeheuerlichkeit dem Menschen gemäß zu fassen. Wenn Andorno gemeint hat, nach Auschwitz sei kein Gedicht mehr möglich, weil die Wirklichkeit die Ästhetik korrumpiert habe, so formuliert sich hier der Gegensatz: nach Auschwitz sind gerade Gedichte notwendig, indem sie die „Komödie" schreiben, die „sich die Tragödie des deutschen Volkes selber schrieb". Es ist der politische Ernst, der Dürrenmatt zum Schreiben seiner Komödien bewegt; an einer scheinbar nebensächlichen Stelle wird hier mehr über den realen Hintergrund der Komödientheorie sichtbar als in den vielzitierten, schon beinahe Gemeinplätze gewordenen Sätzen der eigentlichen Theatertheorie.

Fünf Jahre, nachdem der ganze ‚Turmbau' verworfen worden war, „wagte ich es von neuem": „Nur die Ursache des Turmbaus sollte nun behandelt werden."[104] Die Ausgangssituation ist vielfach mit Brechts ‚Der gute Mensch von Sezuan' verglichen worden, indem auch hier die wohleingerichtete Welt gerechtfertigt werden soll, sobald ein Mensch gefunden worden ist, der sie in seinem moralischen Verhalten bestätigt. Wird jedoch bei Brecht der Nachweis der guten Welt dadurch zur Farce, daß der gute Mensch in zweierlei Gestalt auftreten muß, um mit wenigstens einer Hälfte gut zu bleiben, so bei Dürrenmatt dadurch, daß der Engel, der dem ärmsten der Menschen die Gnade Gottes in der Gestalt des Mädchens Kurrubi überreichen soll, ausgerechnet an den als Bettler verkleideten König Nebukadnezar gerät: nach dem wiederholten Umsturz der Dinge will dieser den letzten Bettler, Akki, zum Staatsdienst bewegen, weil der neue Staat, den Nebukadnezar errichten will, in seiner Vollkommenheit keine Bettler duldet. Als sich der König im Wettstreit der Bettler als der Unterlegene erweist, erhält er vom Engel das Himmelsgeschenk zugewiesen. Dieser jedoch will das Geschenk des Himmels wohl annehmen, aber nicht als Bettler; Kurrubi aber ist Nebukadnezar nur geneigt, wenn er Bettler bleibt, denn nur so sieht sie die Voraussetzung erfüllt. Akki, inzwischen zum Tode verurteilt, weil er sich hartnäckig der Verstaatlichung seines Gewerbes verweigert, entgeht dem Henker dadurch, daß er dessen Amt selbst übernimmt, um freilich das Amt nicht mehr auszuüben (das frühe Thema der Verweigerung im Staat). Nebukadnezar erkennt die mögliche Gnade des Himmels nicht, beharrt auf seiner Königswürde, die ihm im Wechselspiel mit dem Vorgänger und Nachfolger Nimrod aber immer wieder abhanden kommt; aber auch der Himmel, der göttliche Bote, weigert sich, die Gnade zurückzunehmen. Am Ende verlassen Akki und Kurrubi den unwirtlichen Staat und gehen in die Wüste; verkannt geht die Gnade in die Emigration, am Ende aber doch beim richtigen, bei Akki.

Das Geschehen basiert auf einem staatspolitischen Grund, nämlich auf Nebukadnezars Bemühungen, einen neuen vollkommenen Staat zu schaffen: „Seht denn, was ich unternehme, ein makelloses Reich zu erschaffen, ein durchsichtiges Gebilde, das alle umschließt, vom Henker bis zum Minister, und alle aufs angenehmste beschäftigt. Wir streben nicht nach Macht, wir streben nach Vollkommenheit."[105] Das ist aber wieder Dürrenmatts altes Thema, das mit der Aufnahme des Stoffs von 1948 aktualisiert wird (und eigentlich einen Anachronismus in Dürrenmatts Werk darstellt); diesmal spielt es sich im barocken

Wechselspiel der Herrschaften von Nimrod und Nebukadnezar ab: jeder ist bemüht, einen neuen Beginn zu machen, jeder will endlich den vollkommenen Staat; aber sie stolpern nur über die Menschen und lösen sich in sinnlosem Kreislauf miteinander ab. Die mögliche Gnade des Himmels wird nicht erkannt.

Die Frage, ob der König, dem der Engel ja Kurrubi, die göttliche Gnade, überreicht, der eigentliche Adressat des Himmels ist oder nicht, führt in das Zentrum des Stücks. Oft ist sie folgendermaßen beantwortet worden: ,,der König ist also in Wirklichkeit der geringste aller Menschen, d. h. bei seinem Versuch, die Wirklichkeit zu ordnen, am ehesten der Hilfe, der Gnade bedürftig".[106] Die Frage so beantworten aber heißt übersehen, daß der König Kurrubi *nur* als Bettler besitzen darf und kann, weil Kurrubi sich beharrlich weigert, sich dem *König* Nebukadnezar anzuschließen. Es geht also gar nicht darum, daß die Neuordnung der Wirklichkeit durch Nebukadnezar dann die wahre Ordnung werden könnte, wenn dieser begnadet würde. Er kann die Gnade als König gar nicht erhalten, weil sie ausdrücklich nur dem Bettler (der ja die Neuordnung nicht durchführen kann) zugehörig sein darf. Bei Dürrenmatt irrt der Engel, der Physiker ist und folglich die Menschen nicht kennt: ,,Ich bin kein Anthropologe. Ich bin Physiker. Meine Spezialität sind Sonnen. Hauptsächlich rote Riesen. Ich habe den Auftrag, zum geringsten der Menschen zu gehen, aber keine Fähigkeit, den Grund des Himmels zu wissen. *Erleuchtet:* Vielleicht ist es so, daß, je ärmer ein Mensch ist, desto mächtiger die Vollkommenheit aus ihm hervorbricht, die in der Natur ist."[107] Der Engel ist ein zweiter Nebukadnezar, der nur die Vollkommenheit überall und immer bestätigt wissen will und auf die Frage, was der Mensch sei, keine Antwort weiß. Er übersieht die menschlichen Händel, sein Blick gilt einzig den Vollkommenheiten der Natur: ,,Wenn du siehst, wie eben die ersten Strahlen eines unbekannten Gestirns den Euphrat berühren, erkennst du, daß die Welt vollkommen ist", beruhigt der Engel schwärmend Kurrubi, die sich vor den Menschen fürchtet. Auf himmlischer Ebene wird das irdische Thema noch einmal reflektiert, in der Gestalt des sehr irdischen

Engels, der ausgestattet ist mit jener ungeheuren Distanz, die die Menschenhändel so klein, so unbedeutend werden läßt, des Engels, der mit einem hymnischen Lob der irdischen Schönheiten auf den Lippen die an der Erde verzweifelnde Kurrubi, die verstoßene göttliche Gnade, zurückläßt, um dann mit Akki, dem Bettler, dem einzigen, der die Erde aushält, weil er die Menschen nicht verschmäht, in die Wüste zu verschwinden. Nebukadnezar sieht die Gnade nicht, und er verzweifelt: ,,Ich trachtete nach Vollkommenheit. Ich schuf eine neue Ordnung der Dinge. Ich suchte die Armut zu tilgen. Ich wünschte die Vernunft einzuführen. Der Himmel mißachtete mein Werk. Ich blieb ohne Gnade.''[108] Versteht der König den Himmel nicht, so versteht der Engel die Erde nicht: ,,Alles, was ich fand auf diesem Stern, war Gnade und nichts anderes: Ein unwirkliches Wunder in den erhabenen Wüsteneien der Gestirne.''[109] Die Menschen haben die Vollkommenheit, sie haben die Gnade vor Augen, aber sie sehen sie nicht (dazu bedarf es des kosmischen Blicks). Die Erde war eine Chance, wird es später in ,Das Portrait eines Planeten' heißen: die Chance freilich sieht nur der Engel, der die Menschen nicht versteht.

Es bedarf also beider Welten, der Erde und des Himmels; schon der Stücktitel stellt programmatisch die Verbindung her: ,Ein Engel kommt nach Babylon'; er formuliert den Einfall des Überirdischen ins Irdische, wobei das Einfallende gar nicht – im bürgerlichen Sinn – vollkommen sein muß, ja soll, im Gegenteil. Zu zeigen ist, aus kosmischem Blickwinkel, daß die Erde eine Ausnahme, schon durch ihr bloßes Dasein eine Gnade ist. (Das Vorwort zum ,Portrait' wird das mit Hilfe der Wahrscheinlichkeitsrechnung nachzuweisen versuchen; und in der Tat ist es, allen Utopien, aller Science fiction zum Trotz, höchst unwahrscheinlich, daß es eine Doublette der Erde im All gibt; zu viele Faktoren sind zu diesem Glücksfall nötig.) Die Erde ist ein Glücksfall, an dem sich der naturwissenschaftende Engel mit Recht ergötzt, er, der sonst nur tote Materie, toten Raum, die Wüsteneien allenfalls einiger anderer Planeten um sich hat; er weiß die lebende Kugel zu schätzen, und er singt am Ende das

Loblied auf die irdische Schöpfung. Und das heißt: erst die Verbindung beider Welten, ihre gegenseitige Relativierung – weder hier noch da die „Vollkommenheit", die als Ausrede nur Zerstörung bringt – ermöglicht noch die Hoffnung auf Humanität. Das heißt zu erkennen, daß die schöne Welt nicht erst zu schaffen ist, sondern zu sehen, daß sie bereits da ist und daß die große Gefahr besteht, daß die Menschen sie vollends zerstören.

Diese Zerstörung beschwört das Hörspiel ‚Das Unternehmen der Wega'. Es spielt im Jahr 2255; der Kalte Krieg zwischen Ost und West droht wieder in den heißen Krieg umzuschlagen, die Vorbereitungen sind im Gang. Friede hat sich als unmöglich erwiesen, das Beharren auf der eignen, vermeintlich besseren Einsicht ist unüberwindbar. Europa und Amerika auf der einen Seite stehen Asien und Australien auf der anderen Seite gegenüber. Die Russen haben die strategisch bessere Seite des Mondes, die erdzugewandte, besetzt; der Westen will daher, auf alle Fälle, die Venus zum Ausgleich als Partner gewinnen. Die Venus nämlich beherbergt im Zeitalter der Raumfahrt Verbrecher und politische Querulanten, und zwar auf höchst unwirtliche Weise: „Dampfende Ozeane, brennende Kontinente, rot glühende Wüsten. Ein tosender Himmel. [...] der Tod [...] überall und zu jeder Zeit. Zu große Hitze. Zuviel Strahlung. Selbst das Meer radioaktiv. Überall Würmer, die unter unsere Haut, in unsere Eingeweide dringen, Bakterien, die unser Blut vergiften."[110] Die Venus ist ausersehen, die geheime Waffenkammer des Westens zu werden, von der aus dann die entscheidenden Angriffe geflogen werden sollen. Eine Delegation, die mit dem Raumschiff Wega von der Erde anreist, soll nun das Einverständnis der Regierung der Venus einholen. Es stellt sich jedoch heraus, daß keine ordentliche Regierung aufzutreiben ist, weil die Umwelt eine Regierung nicht zuläßt und das friedliche Nebeneinanderleben durch die tosenden Elemente des Planeten erzwungen wird. Diejenigen, die gerade für Verhandlungen zur Verfügung stehen, alles einfache Menschen, lehnen selbstbewußt das Anersuchen, am Krieg teilzunehmen und nach dessen Beendigung zum Dank auf die Erde zurückkehren zu dürfen, ab, weil sie das gefährliche Leben gegen die Natur miteinander für humaner halten als das von der Natur ungefährdete Leben gegeneinander. Da die Erdenbewohner eine humane Alternative zu ihrer Welt nicht dulden, löschen sie nach dem mißlungenen Auftrag das Modell des Nicht-Staates Venus aus, auf daß die Apokalypse auch auf der Erde ihren Beginn nehme.

Je mehr menschliche Ordnung gegen die Natur, desto weniger Humanität, desto weniger menschliches Zusammenleben, desto weniger Friedfertigkeit – so ließe sich das Stück grob auf einen Nenner bringen; die Venus – nun ohne ‚transzendente‘ Dimension – ist Gegenmodell zur angeblich besseren Erde, in der Lage, auf ihre Möglichkeiten hinzuweisen, die freilich von den verblendeten Menschen nicht angenommen werden.

Freilich: das Venus-Modell ist zu recht utopisch. Der Glaube, daß allein die Not die Tugend verbürge, daß allein derjenige, der wenig besitzt, das Mehr zu schätzen wisse, führte als irdische Lösung nur zur Sanktionierung realer Ausbeutung. Mag das auch ein frommer Glaube sein (den die Kirchen und Mächtigen jahrhundertelang auszunutzen vermochten), er bietet so wenig eine irdische Lösung an, wie Dürrenmatt es als unmöglich ansieht, über die Veränderung der sozialen Umwelt den Menschen zu ändern. Es gäbe demnach keine irdisch-menschliche Lösung.

Es sei denn: als Enklave, als Platz hinterm Mond, den Augias heimlich aus dem Mist angelegt hat, den Herkules nicht mehr zu beseitigen vermag: den Mist als Humus zur Kultivierung verwendend, hat sich Augias im Verborgenen den ,,Garten der Entsagung‘‘ angelegt. ,,Ich bin Politiker, mein Sohn, kein Held, und die Politik schafft keine Wunder. Sie ist schwach wie die Menschen selbst, nicht stärker, ein Bild nur ihrer Zerbrechlichkeit. Sie schafft nie das Gute, wenn wir selbst nicht das Gute tun.‘‘[111] Das Hörspiel ‚Herkules und der Stall des Augias‘ aus dem Jahr 1954 knüpft wieder an eine literarische Vorlage an (wie ‚Der Prozeß um des Esels Schatten‘), an Gustav Schwab und dessen Schilderung von Herkules’ fünfter Arbeit, einer Arbeit, die der Held der Sage dadurch erledigt, daß er kurzerhand die nicht weit vom Stall befindlichen Ströme Alpheios und Peneios durch den Stall leitet und mit ihrem Wasser den Mist an einem Tag ausschwemmt. In Schwabs Nacherzählung heißt es: „So vollzog er einen schmachvollen Auftrag, ohne zu einer Handlung sich zu erniedrigen, die eines Unsterblichen unwürdig gewesen wäre."[112] Die Ausmistung ist die gescheiteste Arbeit des Herkules; sie zeigt den Heroen der übermächtigen Körperkräfte zugleich als geistvollen Mann (was bei den Griechen noch kein Gegensatz war); Herakles war kein germanischer Recke ohne Kopf, kein prallgefülltes Muskelpaket, das sich vor lauter Grobschlächtigkeit des Verstands beraubt hat. Glaubte Augias, bevor er den Lohn der Arbeit versprach, einen billigen Knecht zu haben, der, seine Körperkräfte bestialisch einsetzend, nun Mist schaufeln würde und das in der gesetzten Frist natürlich nicht schafft, so sieht er sich getäuscht: zu dieser Arbeit braucht man nur den Kopf.

Bei Dürrenmatt wird Herkules der germanische Recke, der immer erst seinem Sekretär, wenn dieser ihm die Wahrheit sagt, die Knochen bricht, bis auch er die Wahrheit erkennt. Herkules vermag seine Arbeit deshalb nicht auszuführen, weil der Staat Elis nun so kleinkariert und verbeamtet, so bürokratisch und engstirnig ist, daß die Voruntersuchung zur Beseitigung des hier das ganze Land bedeckenden Mists nicht bis zu einem Beschluß vorankommt und Herkules inzwischen sein Brot als Circusclown verdienen muß. Da der Mist den Eliern bereits in den Köpfen steht, ist er nicht mehr zu beseitigen, und so bleibt einzig die Lösung: im Bescheidenen aus Mist Humus werden zu lassen und allem Heldentum zu entsagen.

Im „Miststück" deutet sich der bürokratische Held Dürrenmatts an, der nicht mehr dazu kommt, Heldentaten zu verbringen, weil die Bürokratie ihn daran hindert; der klassische Held tritt von der Bühne ab, Herkules verkommt als Schmierenkomödiant. Der Held ist nicht mehr Subjekt der Geschichte, er ist ihr Objekt geworden. „Kreons Sekretäre erledigen den Fall Antigone."

# VI. Uns kommt nur noch die Komödie bei

*Die politische Begründung der Theatertheorie*
*und ihre Konsequenzen*

Obwohl sich Dürrenmatt nicht als Theatertheoretiker versteht und immer wieder betont, daß seine Sache, neben dem Schreiben die Theaterarbeit, das praktische Experimentieren sei, so hat er doch mit seinen Reflexionen über die Komödie, oder auch: über die Unmöglichkeit der Tragödie in der heutigen Zeit, die 1952 mit der ‚Anmerkung zur Komödie‘ einsetzen und 1955 ihren Höhepunkt mit der Publikation der ‚Theaterprobleme‘ finden, eine Theorie des Theaters formuliert, die wohl nach Brechts Theorie vom epischen Theater zu den bedeutendsten in der deutschsprachigen modernen Literatur gehört.

Die Aufzeichnungen von 1952 stellen noch eine Selbstverständigung dar, einen Versuch, die eigene Kunst in die Tradition der Komödie einzugliedern und zugleich politisch zu bestimmen. Bemerkenswert ist, daß Dürrenmatt die (auch von ihm sonst) vielbemühte Groteske bloß als Mittel beschreibt, Distanz herzustellen, die nötig sei, um die Stücke vor der zeitgenössischen Szene, auf die sie bezogen sind, abspielen zu lassen. In der bisherigen Forschung ist das Groteske fast ausschließlich als Sinn und Zweck des Theaters von Dürrenmatt, aber vor allem auch als Quintessenz der Theatertheorie angesehen worden. Demgegenüber formuliert der Aufsatz von 1952, daß es neben dem Grotesken, das nur Furcht oder absonderliche Gefühle erwecke, das romantisch Groteske gebe, nämlich das ,,Groteske eben der Distanz zuliebe, die *nur* durch dieses Mittel zu schaffen ist. Es ist nicht zufällig, daß Aristophanes, Rabelais und Swift kraft des Grotesken ihre Handlungen *in* der Zeit abspielen ließen, Zeitstücke schrieben, *ihre* Zeit meinten. Das Groteske ist eine äußerste Stilisierung, ein plötzliches Bildhaftmachen und gerade darum fähig, Zeitfragen, mehr noch, die Gegenwart aufzunehmen, ohne Tendenz oder Reportage zu sein"[113]. Dürrenmatts Theater findet also – und das ist bemerkenswert gegenüber der Forschung – sein Ziel nicht in der Groteske; das Groteske ist vielmehr Mittel, die Zeit, die Gegenwart selbst ohne Tendenz wiederzugeben. Es kommt Dürrenmatt nicht auf das direkte Abbild an, er will nicht ‚Nachahmung' im traditionellen Sinn bieten, vielmehr versucht er, die Zuschauer auf dem Theater mit der Wirklichkeit ihrer Zeit zu konfrontieren, indem er ihnen groteske Spiele anbietet, verschrobene, abschreckende und aufschreckende, anstoßende und anrempelnde Modelle der Wirklichkeit, die sich zugleich als Gegenbild zu ihr verstehen.

Hieß es 1952 noch: ,,Ich könnte mir [. . .] wohl eine schauerliche Groteske des Zweiten Weltkrieges denken, aber *noch* nicht eine Tragödie, da wir noch nicht die Distanz dazu haben können", so meint Dürrenmatt in den ,Theaterproblemen': ,,Aus Hitler und Stalin lassen sich keine Wallensteine mehr machen. Ihre Macht ist so riesenhaft, daß sie selber nur noch zufällige, äußere Ausdrucksformen dieser Macht sind, beliebig zu ersetzen, und das Unglück, das man besonders mit dem ersten und ziemlich mit dem zweiten verbindet, ist weitverzweigt, zu verworren, zu grausam, zu mechanisch geworden und oft einfach auch allzu sinnlos."[114] Mit der Umformulierung des ehemals historischen Arguments in ein grundsätzliches verliert nicht nur die Groteske als Mittel ihren substantiellen Wert, sondern es wird zugleich betont, daß der heutigen Zeit nur noch die Komödie ‚beikomme' und die Tragödie deshalb nicht mehr möglich sei, weil die Zeit eine Fixierung auf den einzelnen tragischen Helden nicht mehr zulasse. War 1952 in dem erwähnten Aufsatz die Komödie bloß Möglichkeit, die heutige Zeit, die Gegenwart auf dem Theater im Gegenbild wiederzugeben, so wird sie jetzt als die einzige adäquate Möglichkeit für die heutige Zeit und ihre Darstellung überhaupt angesehen: ,,Die Tragödie setzt Schuld, Not, Maß, Übersicht, Verantwortung voraus. In der Wurstelei unseres Jahrhunderts, in diesem Kehraus der weißen Rasse, gibt es keine Verantwortlichen mehr. Alle können nichts dafür und haben es nicht gewollt. Es geht wirklich ohne jeden. Alles wird mitgerissen und bleibt in irgendeinem Rechen hängen. Wir sind zu kollektiv schuldig, zu kollektiv gebettet in die Sünden unserer Väter und Vorväter. Wir sind nur noch Kindeskinder. Das ist unser Pech, nicht unsere Schuld: Schuld gibt es nur noch als persönliche Leistung, als religiöse Tat. Uns kommt nur noch die Komödie bei."[115] Es ließe sich jetzt, wie es die Literatur bisher gemacht hat, auf die traditionelle Tragödientheorie eingehen, auf Schillers ‚Wallenstein‘, auf Brechts episches Theater, um Dürrenmatts Theorie davon abzugrenzen. Das ist alles wichtig, hieße jedoch weiterhin außer acht zu lassen, daß Dürrenmatt die Theorie ausdrücklich politisch begründet hat. Da ist nicht nur der Hinweis auf die Sünden der Väter, auf die Wurstelei des Jahrhunderts, die die Tragödie nicht mehr zulasse und zur Komödie zwinge, sondern auch das Argument: „alle können nichts dafür und haben es nicht gewollt", und das ist das Argument der Nazis und Nazi-Generäle bei den Nürnberger Prozessen und nach ihnen noch vieler anderer gewesen. Weiterhin ist da der Hinweis auf die Kollektivschuld, die von den Westmächten unmittelbar nach dem Krieg allen Deutschen angelastet worden ist. Der Emigrant Thomas Mann formulierte sie am 18. 5. 1945: „Denn alles Deutsche, alles, was deutsch spricht, deutsch schreibt, auf deutsch gelebt hat, ist von dieser entehrenden Bloßstellung mitbetroffen."[116] Dürrenmatt übernimmt die damals umstrittenen Argumente für die Beschreibung der heutigen modernen kapitalistischen Industriegesellschaft (zu der er auch den Osten zählt), in ihr also eine direkte Fortsetzung des Faschismus beschreibend: was der Faschismus mit seinem totalen Staat erreichte, die Ausmerzung des Individuellen, ist nun der anonymen, alles gleichmachenden, den Menschen zum Handlanger von Maschinen degradierenden Technologie überantwortet, die dem Menschen allmählich über den Kopf wächst und die er langsam selbst nicht mehr versteht. Die Beschreibung des Totalitarismus in der Tragödie, die Dürrenmatt mit der Zeit wieder möglich schien, ist unmöglich, weil die Zeit keine Aussicht mehr auf Änderung läßt, weil die Zeit selbst eine totale gewor den ist. „Gewiß, wer das Sinnlose, das Hoffnungslose dieser Welt sieht, kann verzweifeln, doch ist diese Verzweiflung nicht eine Folge dieser Welt, sondern eine Antwort, die er auf diese Welt gibt, und eine andere Antwort wäre sein Nichtverzweifeln, sein Entschluß etwa, die Welt zu bestehen."[117] Und das hat zur Konsequenz: an die Stelle des alten, zur Tragik fähigen Einzelmenschen tritt der mutige Mensch, der die „verlorene Weltordnung" in der Brust wiederherstellt, ansonsten aber die total werdende, ihn zum Teil, zum Glied der Masse degradierende Welt aushält, ihr als Mensch widersteht, indem er sich zu sich bekennt. Die ehemalige Individualität, die Unteilbarkeit des tragischen Helden wird durch den bewußten Akt der Selbstbehauptung wiederhergestellt, gebrochen zwar, aber als alternative Möglichkeit.

Die zweite wichtige Begründung findet die Theorie der Komödie darin, daß sie den Spielort, das Theater ernster nimmt, als das in der Vergangenheit der Fall gewesen ist; Dürrenmatt setzt Überlegungen Pirandellos und Wilders fort, indem er auf das Theatralische des Theaters verweist; aber wenn Pirandello und Wilder den Doppelsinn von ‚Spiel' als Realitätsabbildung und als bloßes Spiel dazu benutzen, um die Wirklichkeit selbst als Spiel vorzuführen, so besteht Dürrenmatt allen Ernstes darauf, das Theaterspiel als bloßes Spiel anzusehen und jegliche Realitätsdarstellung auszuschließen. So sagt er: „Ein Theaterstück spielt auf der Bühne, die London oder das Hochgebirge oder ein Schlachtfeld darstellen muß."[118] Das scheint eine Banalität zu sein; sie ist es aber nicht, wenn damit die Bühne als Bühne bewußt gemacht wird und es so für sie Möglichkeiten gibt, die sie nicht hat, wenn sie Realität abbilden soll, also ihre Gesetze nach denen der Realität richten muß. Auf der Bühne stehen die Toten, eben nachdem der Vorhang heruntergelassen ist, auf; Dürrenmatt öffnet den Vorhang, und er läßt z. B. Herrn Schwitter auferstehen, weil er Theater macht. „Wir schreiben heute bewußt Theater, wir wissen, daß wir Theater machen, und darum schreiben wir Komödien."[119] Die Funktion der alten Illusionsbühne hat in der technischen Zeit der Film übernommen, und das Theater findet überhaupt nur noch dann seine Berechtigung, wenn es das bewußte Spiel, und das heißt: die Komödie, pflegt und ernst nimmt. Das Beharren des Dramatikers, sein Schreiben und seine Arbeit vom Primat der Bühne her, vom Dramaturgischen aus zu formulieren, ins Schreiben die theatralische Umsetzung miteinzubeziehen und so die ‚Literatur‘ in den Hintergrund zu stellen, wird für die weitere Entwicklung des Dramatikers Dürrenmatt immer wichtiger, als er sich mit zunehmendem Alter immer mehr zur praktischen Theaterarbeit entschließt. Freilich wird er sich dann später resigniert, aufgerieben von den täglichen Händeln der Praxis, an den Schreibtisch zurückziehen.

In den ‚Theaterproblemen‘ setzt sich Dürrenmatt kritisch mit dem Begriff des dramatischen Handwerks auseinander; er weist ihn zurück im ästhetisch-literarischen Sinn und bindet ihn statt dessen fest an die Bühne: „Es gibt kein dramatisches Handwerk, es gibt nur die Bewältigung des Stoffs durch die Sprache und durch die Bühne.“[120] Mit der Bühne verbindet sich in Zukunft der Begriff des „Experiments“, der weniger im Brechtschen Sinn einen wissenschaftlichen Versuch meint, der der ‚Verfremdung‘ der Wirklichkeit dienen soll, sondern den Vorgang beschreibt, der nötig ist, den empirischen Stoff in eine theatergemäße Gestalt umzusetzen; sind Brechts Überlegungen von der nachzubildenden Realität bestimmt, so die Dürrenmatts von der Kunst; will Brecht mit seiner Kunst auf die Wirklichkeit zeigen, so baut Dürrenmatt theatralische Alternativen zur Wirklichkeit. – Mit der Sprache verbindet sich die Menschendarstellung auf der Bühne: „Der Mensch des Dramas ist ein redender Mensch, das ist seine Einschränkung, und die Handlung ist dazu da, den Menschen zu einer besonderen Rede zu zwingen. Die Handlung ist der Tiegel, in welchem der Mensch Wort wird, Wort werden muß.“[121] Und der Dramatiker habe danach zu streben, daß „es in seinem Theater Momente gibt, in denen die Gestalten, die er schreibt, Sprache werden und nichts anderes“.[122] Dieser Gedanke nimmt die frühen dramatischen Reflexionen wieder auf, und er zeigt sich umgesetzt etwa in den „Makamen“ des Akki in ‚Ein

Engel kommt nach Babylon'. Hier freilich liegt ein Widerspruch zum Primat der Bühne, der Dürrenmatt später aufgegangen ist: wenn die Bühnengestalten, die Theaterfiguren sich im Idealfall in der Sprache aufheben, ganz Sprache werden, so führt dies zur Selbstaufhebung der Bühne, wie es im klassischen Theater der Fall gewesen ist, das im Idealraum, in der nicht als Raum spürbaren Idealität, in Raum- und Zeitlosigkeit sich artikuliert hat, das durch das Sprachwerden aller Bühnenwirklichkeit die Bühne vergessen machte und immergültige Menschenschicksale, ohne Zeit, ohne Ort, vorstellte. Das Sprachwerden der Bühnenwirklichkeit widersprach dem praktischen Ansatz, den literarischen Text der Bühne unterzuordnen; 1967 kommt es im ,Brief an Maria Becker'[123] zum Widerruf, nachdem die Theaterarbeit gezeigt hatte, daß die Bühne nur dann wirklich ernst genommen wird, wenn man ihr mehr als nur die Sprachwerdung der Figuren zumutet; davon wird an späterer Stelle noch die Rede sein. Daß Dürrenmatts ausführliche Regieanweisungen immer sowohl der ausschließlichen Sprachwerdung der Figuren als auch einer völligen Theatralisierung widersprachen, insofern sie episch und kommentierend sind, sei nur angemerkt.

Eine dritte wichtige Begründung findet die Komödientheorie darin, daß sie streng Wissenschaft und Kunst trennt (und damit beinahe schon wissenschaftlich argumentiert). Hier zeigt sich der größte Abstand zu Brecht, der Wissenschaft und Kunst gerade miteinander verbunden hat, in der Kunst die wissenschaftlichen Prinzipien fortsetzte. Dürrenmatt schlägt die Wissenschaftlichkeit anders als Brecht, der in ihr noch den Fortschritt verkörpert sah, dem technologischen Zeitalter zu: sie sei Ausdruck strengster Ordnung und beharre allein auf dem Ergebnis: ,,Die Wissenschaft sieht allein das Resultat: Den Prozeß, der zu diesem Resultat führte, kann der Dramatiker nicht vergessen.''[124] Kunst wehre sich dagegen, objektiv zu sein, sie gehe nicht im Abbild auf, vielmehr sei in ihr immer noch derjenige, der sie produziert. Die Kunst wird so im technologischen Zeitalter, und das zeigen auch Dürrenmatts unwürdige Dichtergestalten, als Rettung des Subjektiven, der Individualität gesehen und gegen die allgemeine Technologie der modernen Welt verteidigt.

Mit der strikten Trennung von Kunst und Wissenschaft, die so weit geht, daß Dürrenmatt behauptet, der Künstler könne und dürfe sich von der Wissenschaft nichts sagen lassen, weil er die Regel im Progreß des Werks selbst finden müsse, wiederholt er freilich subjektiv nur eine objektive Trennung, nämlich die der Arbeitsteilung in der Industriegesellschaft, die ja aber gerade Grund für die moderne Anonymität, Unübersichtlichkeit und Verantwortungslosigkeit ist. Die scheinbar ganz sachliche Abgrenzung der einzelnen Bereiche durch den Dramatiker wiederholt in Wirklichkeit nur die Zerstückelung des Individuums, des ,,Unteilbaren", in der modernen Industriegesellschaft, die ein Interesse daran hat, daß der einzelne wenig überblickt, möglichst wenig vom anderen versteht; durch die Sachtrennung wird auch der Mensch in Funktionen zerteilt, zerstückelt, wie am Fließband der Arbeiter, wie im Büro der Beamte, wie die Bürger als Objekte für die Konsumindustrie und als Objekte für die zu verwertende Freizeit und schließlich wie der Künstler – so sieht es offenbar Dürrenmatt –, der sich nur nach seinen *eigenen* isolierten Prinzipien, nicht aber *auch nach denen der* und auch *gegen die* gesellschaftlichen, und das heißt allgemeinen Prinzipien der Zeit richten soll. Aus dem verteidigten Individuum in der Theorie wird das Dividuum der modernen spätkapitalistischen Gesellschaft: der entfremdete einzelne, der nicht mehr um seiner selbst willen leben und glücklich sein darf, sondern der als Konsument, als ,Arbeitnehmer' eingeordnet und verplant ist, der keine Verantwortung mehr hat, weil sie ihm abgenommen worden ist mit der Weigerung, ihm den Überblick zu gestatten oder seine Individualität zu finden. Dürrenmatt rechnet in der Theatertheorie noch mit der Möglichkeit des Individuellen wenigstens in der Kunst, und zwar nicht nur für den, der sie betreibt, sondern auch für den, der sie rezipiert. Wo aber soll das Individuelle noch herkommen, wenn die Wirklichkeit es längst getilgt hat? Hier stellt sich die Frage nach der gesellschaftlichen Wirklichkeit von Autor und Publikum doch.

# VII. Kritik der Wohlstandsgesellschaft

*Bauen als Zerstörung, ,,Güllen" und andere Fälle*
*(1955–1960)*

Das Leben in Güllen wird noch schöner
Das Leben in Güllen wird noch angenehmer
Wir bauen für Sie
Einkaufszentrum
BAUHERR: MARTI AG                         500 P
                        IMMOBILIENKREDIT-BANK

Das Schild mit voranstehender Aufschrift steht am Rand einer
vierspurigen Autostraße, die sich mitten durch Güllen einen
Berg hinaufzieht; dieser ist mit konformen Ein- und Mehrfami-
lienhäusern bepflastert; eine breite, moderne Brücke, mit küh-
nem Schwung über die Straße, sorgt für reibungslosen Zugver-
kehr in Güllens Zentrum. Links der eben fertiggestellte ,,mip-
discount"-Laden, darüber in zweiter Ebene eine moderne Raffi-
nerie mit verglasten Verwaltungsbauten; dahinter der Versiche-
rungskonzern ,,Güllen-Leben" mit derselben charakteristischen
Hausfront aus Glas, die sich gegenüber in der Maschinenfabrik
(Waffen?) wiederholt und auch den in der Ferne noch erkennbaren Bauten ihr Gepräge gibt. Güllen ist schön: übersichtlich, klar
gegliedert, alles ist an seinem Platz, schön voneinander getrennt,
befreit von allem Wildwuchs: von Pflanzen, Tieren und Menschen. Letztere sind Insassen geworden, Insassen von Autos,
Zügen, gleichförmigen Gebäuden, von abgezirkelten Grünflä-
chen, Läden und Straßen; in Güllen leben, heißt funktionieren,
heißt, daß der Horizont von immergleichen Immobilien ver-
stellt ist. Der Bauherr heißt Marti, das ist ein Dativ zu Mars, und
zwar der ethische Dativ: so wie ,,Dem unbekannten Soldaten"
das Denkmal gewidmet ist, so Güllen dem Mars, dem Kriegs-

gott, dem Zerstörer: Güllen als Zerstörung der Landschaft und des Lebens.

Das Bild, von dem einige Einzelheiten vorgestellt wurden, ist das siebente und letzte aus dem Zyklus ‚Alle Jahre wieder saust der Preßlufthammer nieder oder Die Veränderung der Landschaft' von dem Schweizer Graphiker Jörg Müller (1973).[125] Die Bilder zeigen Stationen der baulichen Anstrengungen einer Generation in der Schweizer Wohlstandsgesellschaft mit dem geschilderten Ergebnis. Güllen ist imaginär, aber Güllen ist zugleich Symbol geworden für eine Wirklichkeit, deren Grenzen man erst zwanzig Jahre nach der Erschaffung des Symbols ernst zu nehmen beginnt: der Fortschritt, d.h. der technische Fortschritt, hat da ein Ende, wo die Grundlagen des Lebens bedroht sind. Die vom Krieg verschont gebliebene Schweiz machte die allgemeine Entwicklung zur Wohlstandsgesellschaft in Westeuropa schneller und rapider durch als die Nachbarländer. Die Folgen, die aus der Entwicklung resultierten, lange unterdrückt und verschwiegen, zeigten sich schneller und deutlicher: die zweite Konjunkturwelle sucht die Schweiz von 1952 bis 1957 heim, deren Folge, neben vermehrter Investitionstätigkeit der Unternehmer, ein ungeheurer Bauboom und stark um sich greifende Motorisierung ist; überdies läßt man, um die Konjunktur zu erhalten, immer mehr Fremdarbeiter ins Land (– woraus mit der Zeit eine Schweizer Frage entsteht). In der unzerstörten Schweiz wurde schneller offenbar, was in den anderen westeuropäischen Ländern, voran der Bundesrepublik noch lange kaschiert wurde: daß der Umbau des kleinen, landwirtschaftlichen Landes in einen modernen Industriestaat nicht nur Aufbau, sondern vor allem auch Zerstörung hieß, Zerstörung einer menschlichen, überschaubaren, natürlichen, aber auch besonders schönen Landschaft zugunsten einer abgezirkelten, scheinbar sauberen, planen Industriewelt.

Die Schweizer reagieren auch schneller und kritischer auf die allgemeine Entwicklung der westlichen Welt, die nicht nur den Menschen zum Insassen degradiert, sondern auch anfängt, Kultur und Historie zu beseitigen. Schon 1955 haben Max Frisch,

Lucius Burckhardt und Markus Kutter in der Schrift ‚Achtung: die Schweiz' auf die Entwicklung verwiesen: „Die Resignation gilt als demokratische Weisheit. Und also wuchern unsere Städte, wie's halt kommt, geschwürartig, dabei sehr hygienisch; man fährt eine Stunde lang mit einem blanken Trolleybus und sieht das Erstaunliche, daß die Vergrößerung unserer Städte zwar unaufhaltsam stattfindet, aber keineswegs zum Ausdruck kommt. Es geht einfach weiter, Serie um Serie, wie die Vergrößerung einer Kaninchenfarm. Fährt man weiter, zeigt sich, daß das schweizerische Mittelland aufgehört hat, eine Landschaft zu sein; es ist nicht Stadt, auch nicht Dorf."[126]

Dürrenmatt wurde zu seinem Stück über Güllen, ‚Der Besuch der alten Dame', angeregt durch eine Bahnfahrt; er fuhr „von Neuenburg nach Bern und wieder zurück. In Kerzers und Ins hielten die ‚Schnellzüge' an. ‚Wenn die Züge hier nicht mehr halten würden, wäre das der Anfang vom Abstieg der beiden Dörfer'."[127] Die Verbindung von moderner Technik und „Bedeutung", von Bedeutung-Sein, ist hergestellt. Dürrenmatt läßt sein Stück auf dem Bahnhof beginnen und auf ihm enden; ist er zuerst häßlich, verfallen, nur mit dem „stark beachteten Gebäude", der Bedürfnisanstalt, ausgestattet, so blinkt und prunkt am Ende der moderne Zweckbau, der Verwaltungsbau der gegenwärtigen Gesellschaft, und es halten auch die Schnellzüge wieder. Güllen ist ein schweizerdeutscher Ausdruck für ‚Jauche': die Geschichte vom Aufstieg der Stadt Güllen, der sich unaufhaltsam ausbreitenden Jauche, steht für den Aufstieg der modernen Industriegesellschaft und ihrer sogenannten Zwecklandschaft.

Die Handlung ist schnell erzählt: der verkommene Ort Güllen mit seinen verarmten Bewohnern erhält Besuch aus Amerika, von der Milliardärin Claire Zachanassian, die unter dem Namen Klara Wäscher einst ein Kind des Ortes war; Claire hat ihren Heimatort aufgekauft, um Rache zu nehmen dafür, daß der jetzige Krämer Ill sie mit einem Kind sitzengelassen hat und lieber eine bessere Partie einging. Die Güllner, die damals mit kleinbürgerlicher Genugtuung zusahen, daß Ill seine Geliebte verstieß und sie damit zur Hure machte, erhalten nun das Angebot, für eine Milliarde, für den Wohlstand, Ill zu beseitigen. Das Geld lockt, die ganze Gesellschaft, einschließlich Pfarrer und Lehrer, beseitigt vereint das Hindernis zum großen Geld, indem sie den Mord mit der Diagnose Herzschlag verbrämt und die einst graue Welt sich in das „technisch Blitzblanke" verwandelt. Dürrenmatt gab dem Stück ursprünglich den Untertitel ‚Komödie der Hochkonjunktur' und verwies so auf die angedeuteten Zusammenhänge mit der Schweizer Entwicklung. Die reiche Erbtante aus Amerika, jenes märchenhafte Geschöpf aus dem Land der unbegrenzten Möglichkeiten, kommt, sie offeriert den riesigen Schatz, freilich mit der kleinen Bedingung, die man – man ist ja Humanist, kennt die abendländischen Werte, man hat ja eine klassische Vergangenheit, Dichter und Denker – natürlich empört zurückweist, um sie dann doch zu erfüllen, sich allmählich verstrickend, immer noch auf den Ausweg hoffend aus den Maschen der Ökonomie, am Ende aber zur Begleichung der Rechnung gezwungen: „Man kann alles kaufen."[128] Richter und Henker.

Später wählte Dürrenmatt den Untertitel ‚Eine tragische Komödie' und betonte jetzt nicht mehr die politischen, sondern die künstlerischen Aspekte des Stücks, und auch sie sind bedeutsam. Das Stück zeigt, obwohl es fortschreitend angelegt ist – die Entwicklung Güllens zur Wohlstandsgesellschaft –, zugleich eine zurückgewendete Struktur, indem es allmählich die Vorgeschichte von Ill und Klara aufdeckt, und zwar nach dem Schema des ‚König Ödipus' von Sophokles: in der Analyse der Vorgeschichte enthüllt sich allmählich die Schuld Ills, die er mit seinem Tod, dem tragischen Ende, sühnt. Das heißt: das Drama wird von zwei Strängen, von zwei Handlungen durchzogen – wenn man von der vorausgesetzten, vor der gespielten Zeit liegenden willentlichen Entwicklung der Zachanassian zur Hure absieht, und zwar der kollektiven, fortschreitenden der Güllner Gesellschaft und der privaten, analytischen des Ill; die eine endet tragisch, die andere in der Komödie, im „Welt-Happy-Ending". Indem Ill die Schuld annimmt und sich der nochmaligen Unterwerfung unter die korrupte Gesellschaft entzieht, gehört ihm das Tragische, die noch mögliche Tragik des mutigen Menschen, der „die verlorene Weltordnung [...] in der Brust wiederherstellt", wie es in den ‚Theaterproblemen' hieß. Tragischer Schluß und Welt-Happy-Ending bedingen einander und stehen zugleich in Kontrast.

‚Der Besuch der alten Dame' wird am 29. Januar 1956 in Zürich uraufgeführt, Dürrenmatt kehrt also zu seiner Ausgangsposition zurück, und es erweist sich als neuer Beginn, da das Stück den Welterfolg des Autors einleitet. Nicht nur der Westen kann sich an der Kritik der Gesellschaft erwärmen – freilich wird mehr das Problem der „Schuld" und Unschuld gesehen –, vor allem auch der Osten beginnt langsam, aber nachhaltig auf den Dramatiker aufmerksam zu werden. Der DDR-Germanist Ernst Kühne schreibt: „Die Konfliktkonzeption und Handlungsaussage des Stückes ist die Demonstration der restlosen Zerstörung aller menschlichen Werte im Ausstrahlungsbereich des monopolistischen Kapitals. Damit ist die Stoßrichtung der realistischen Aussage auf die Überfälligkeit der kapitalistischen Gesellschaftsordnung angelegt, die alle förderlichen Qualitäten aus der Aufstiegsphase der kapitalistischen Entwicklung verloren hat."[129] Dürrenmatt erhält, nachdem er erst einmal im ‚Neuen Deutschland' offiziell verrissen worden war und damit seine Verteidiger auf den Plan gerufen waren, die Auszeichnung eines „bürgerlichen Humanisten", weil er „seine ganze Invektive und Anklage auf den ‚Imperialismus des Westens'"[130] gerichtet habe.

Das Stück bringt nicht nur Erfolg, sondern auch das dringend notwendige Geld, das er nicht benutzt, nun seinerseits der davongelaufenen Konjunktur nachzujagen. Im gleichen Jahr, 1955, entsteht auch noch die Prosakomödie ‚Grieche sucht Griechin', die zum Teil in der gleichen blitzblanken Ordnungswelt der Industriegesellschaft spielt (auf sie wird an anderer Stelle ausführlich eingegangen).

1956 entsteht die ‚Panne' in der Hörspielfassung mit dem noch guten Schluß: Traps kehrt nach der durchzechten Nacht ins Geschäftsleben zurück; das geweihte höhere Leben in der Kunst (des Gerichts) wird als Einbildung zurückgewiesen: „So ein Unsinn. [...] Kann ja keinem Tierchen was zuleide tun. Auf was die Leute kommen, wenn sie pensioniert sind. Na, vorbei. Habe andere Sorgen, wenn man so mitten im Geschäftsleben steht. [...] Junge, Junge. Rücksichtslos gehe ich nun vor, rücksichtslos. Dem drehe ich den Hals um. Unnachsichtlich!!"[131] Die Hörspielfassung reiht sich nahtlos ins Konjunkturthema ein; das mögliche Leben in der Kunst, die noch tragische Weihe in der Kunst wird vom rüden Geschäftsleben negiert. Traps rennt, vom Spiel kaum gerührt, den Prozenten weiter nach.

Auch das vorläufig letzte Hörspiel ‚Abendstunde im Spätherbst' entsteht 1956; es nimmt die Thematik von Kunst und Leben in der Gestalt des Schriftstellers Korbes auf, der alle in seinen Kriminalromanen beschriebenen Morde selbst begangen hat. Das Hörspiel stellt dar, wie Korbes durch seinen fleißigen Biographen, einen Leser, der dem Werk, es für Wirklichkeit nehmend, sorgfältig nachgegangen ist, der Morde überführt wird; da Korbes jedoch durchaus nicht auf seine Romane verzichten möchte, wirft er seinen Biographen zum Fenster hinaus und macht daraus seinen nächsten Roman, oder besser: eben das Hörspiel. Das Hörspiel ließe sich als Abrechnung des Autors Dürrenmatt mit seinen Kritikern lesen, die ja nach Dürrenmatt immer alles besser können; so hat es Armin Arnold getan.[132] Jedoch ist auch hier das Thema komplexer, versucht doch Dürrenmatt die Rolle der Literatur im Zeitalter der Massenmedien und der Maschinenwelt zu bestimmen. Die Schriftsteller sind, so läßt es Dürrenmatt seinen fiktiven Autor Korbes sagen, weil sie immer die Wahrheit schonungslos dargestellt haben, „seit jeher im Sinne der bürgerlichen Moral Ungeheuer! Denken Sie an Goethe, Balzac, Baudelaire, Verlaine, Rimbaud, Edgar Allen Poe. Doch nicht nur das. Entsetzte sich die Welt anfangs noch, bewunderte sie uns mit der Zeit immer mehr, *gerade* weil wir Ungeheuer sind. Wir stiegen dermaßen in der sozialen Stufenleiter, daß man uns nicht nur akzeptiert, sie interessiert sich auch fast nur noch für unseren Lebenswandel. Wir sind der Wunschtraum von Millionen geworden, als Menschen, die sich alles erlauben dürfen, alles erlauben sollen. Unsere Kunst ist nur der Freipaß für unsere Laster und Abenteuer."[133] Die wahre Literatur, führt Korbes weiter aus, habe die Menschheit zu befriedigen: ,,Die dürstet nicht nach einer neuen Form, oder nach sprachlichen Experimenten, und am wenigsten nach Erkenntnis, die dürstet nach einem Leben, das die Hoffnung nicht braucht, weil es die Hoffnung nicht mehr gibt, nach einem Leben so prall an Erfüllung, an Augenblick, an Spannung, an Abenteuer, wie es in unserer Maschinenwelt der Masse nicht mehr die Wirklichkeit, sondern nur noch die Kunst liefern kann."[134] Das entfremdete Leben in der Welt der Hochkonjunktur findet Erfüllung nur noch im fingierten Leben seiner Kunst; die Schriftsteller werden als Ausnahmen zur Bestätigung der Regel, zu Lieferanten eines Scheinlebens, das in der Umkehrung seines Sinns, als primäre Erfahrung, als primäre Erfüllung vom Publikum aufgenommen wird, das selbst nicht mehr zum Leben kommt. Aus dem ehemaligen Aussprechen der Wahrheit ist nun die Wahrheit selbst geworden, die der Schriftsteller Korbes vorlebt, um sie seinen Lesern angemessen zu beschreiben. In der Maschinenwelt erscheint nur noch der Schriftsteller als Bewahrer der Wahrheit.

Das Jahr 1956 bringt überdies eine Auseinandersetzung mit Robert Jungks Buch ,Heller als tausend Sonnen', die im Dezember 1956 in der ,Weltwoche' veröffentlicht wird; ein Hinweis darauf soll an dieser Stelle nicht fehlen, weil die Kritik des populärwissenschaftlichen Buchs über die Atomforschung die Reflexion von Fragen zeigt, die erst fünf Jahre später in den ,Physikern' poetisch gestaltet werden; ausdrücklich lastet Dürrenmatt die Auswirkungen des naturwissenschaftlichen Denkens seiner Zeit nicht den Physikern an, sondern der Industriewelt, die das Denken grundsätzlich gefährlich mache, weil sie es zu ihren Zwecken skrupellos ausnutzt; auch findet sich schon die zentrale These des Stücks ausgesprochen: es gebe ,,keine Möglichkeit, Denkbares geheim zu halten. Jeder Denkprozeß ist wiederholbar",[135] und das heißt, daß es in der gegenwärtigen Welt nicht mehr auf das Individuum ankomme, auf die Entdekkungen des einzelnen: die verfügbare Masse wird das Denkbare denken.

1957 arbeitet Dürrenmatt an einer Fernsehfassung von ‚Der Richter und sein Henker‘; der Film über Sexualverbrechen an Kindern, ‚Es geschah am hellichten Tag‘, entsteht im gleichen Jahr und es beschäftigen ihn noch einmal die Theaterstücke ‚Ein Engel kommt nach Babylon‘ und ‚Romulus der Große‘, die unter dramaturgischen Gesichtspunkten stimmiger, exakter, der Bühne gemäßer umgearbeitet werden. Es ist bezeichnend für Dürrenmatts „Experimentaltheater“, daß seine Umarbeitungen – nicht wie bei Brecht – von dramaturgischen Gesichtspunken beherrscht sind; paßte Brecht seine Dramen immer wieder der neuen Zeitsituation an, um sie zu aktualisieren und auch mit der Kunst die Veränderbarkeit der Kunst zu demonstrieren, ihre Antastbarkeit, so bleibt bei Dürrenmatt die historische Legitimation der Umarbeitungen aus: er sucht die theatralischste Fassung, das dramaturgisch Gelungenste und nicht das Historische, weil die ‚Richtigkeit‘ des Historisch-Politischen sich auf seine Weise ohnehin einstellt.

Wenn Dürrenmatt auch nicht mit seinen Umarbeitungen auf die Zeit reagiert, so doch mit seinen Neukonzeptionen: es entsteht ‚Frank V.‘ aus einer Auftragsarbeit. Dürrenmatt sollte zur Feier des 20jährigen Bestehens der Zürcher Neuen Schauspielhaus AG eine ‚Ode‘ verfassen; die Vertonung war Paul Burkhard übertragen. Aus der Zusammenarbeit der beiden, die sehr lustig gewesen sein soll, entsteht dann etwas ganz anderes, Dürrenmatts erste (und bisher einzige) Oper. Burkhard (geb. 1911), Operettenkomponist, also, wie es so schön heißt: „der leichten Muse ergeben“, schrieb u. a. die Musik zur Komischen Oper ‚Casanova in der Schweiz‘ (1942), ‚Hopsa‘ (1935), eine Revueoperette, die ein Welterfolg wurde, und 1950 zu ‚Feuerwerk‘, dessen Lied ‚O mein Papa‘ ein Schlager wurde.

Bereits der Titel des Stücks verweist aufs Geld, auf die Schweizer Franken. Die Handlung weist jene Einfachheit auf, die Brecht forderte, wenn er meinte, die Handlung eines guten Stücks müsse in einem Satz wiederzugeben sein: Erzählt wird die Geschichte einer Gangsterbank, in der „noch nie ein ehrliches Geschäft abgewickelt und noch nie Geld zurückbezahlt" wurde, und die ihrer Inhaber, die einen unwiderstehlichen Hang nach Anständigkeit, Güte und Bürgerlichkeit haben, daher ihr Unternehmen liquidieren wollen, daran aber gehindert werden, weil die Gesellschaft keine Anständigkeit zuläßt, statt der Bank die Inhaber der Bank liquidiert und mit Frank VI. das Geschäft fortsetzt.

Dürrenmatt ordnete das Stück später als Beginn einer neuen schriftstellerischen Haltung ein: er denke nicht mehr „über" die Welt nach, er sei vielmehr zum Denken *von* Welten übergegangen (daß dies jedoch nicht neu ist, haben die früheren Zeugnisse nachgewiesen). ‚Frank V.' sei demnach ein Modell, das bis zum bitteren Ende durchgespielt werde. Das Modell der Welt liefert diesmal die Privatbank, die den wirtschaftlichen Gesetzen entsprechend eigentlich „monarchisch" geführt sein müßte (Anspielung im Titel), aber vom Inhaber „demokratisch" geführt wird: jeder erhält den Schlüssel zum Tresor, alle veruntreuen das Geld, und die notwendige Folge davon ist, daß sich die beteiligten Personen gegenseitig liquidieren. 1948 hatte Dürrenmatt die Geschichte schon einmal erzählt: „Wahre Geschichte in einem Satz: Als eines Nachts im Westdeutschen Fernsehen über das Betriebsklima diskutiert wurde, meinte ein Großindustrieller, er halte es für ausgeschlossen, in der Geschäftswelt die Demokratie einzuführen, und alle mußten ihm irgendwie recht geben."[136] Demokratie und Geschäftsleben (und das heißt: die kapitalistische Wirtschaftsordnung, die freie Marktwirtschaft) werden als Gegensätze angesehen, die Ökonomie verhindert die Demokratie; das ist der Hintergrund des Stücks. Der Sohn Franks V., der das Unternehmen übernimmt, sagt das unerbittlich: „Die Ehrlichkeit ist keine Angelegenheit des Innenlebens, sondern der Organisation. Zu ihrer Durchführung gehört eine weitaus größere Rücksichtslosigkeit als zum Ausüben des Schlechten, nur wirkliche Schufte vermögen das Gute zu tun. Wärst du dieser Schuft gewesen, hättest du mit brutaler Ehrlichkeit legal gewirtschaftet, tanzten wir jetzt immer noch im Reigen der Großbanken mit", und der Vater antwortet: „Du wirst jedoch der große Schuft sein, den unsere Zeit braucht, anständig, hart und böse wirst du die Bank der Väter leiten."[137] Die brutale Ehrlichkeit ist Ausdruck bürgerlichen Leistungsdenkens, das als wahre Tugend der Zeit anerkannt und gefeiert wird. Demokratische Rücksichten haben in dieser Welt nichts zu suchen.

Literarisch knüpft Dürrenmatt mit dem Modell der Privatbank an Shakespeare an, genauer an den ‚Titus Andronicus', dem ein zeitgenössisches Äquivalent gegenübergestellt wird: „Mich interessierte es [. . .], die Möglichkeiten der elisabethanischen Bühne auf die heutige Bühne zu übertragen, d. h. wie damals eine Dramatik zu planen, die darauf zielt, Grundkonflikte aneinanderzureihen wie an einer Kette: die Kinder gegen die Eltern zu hetzen, einen Liebhaber zu zeigen, der seine Geliebte ermorden muß usw."[138] Und so erscheinen denn die Helden des Stücks wie Zitate aus einer Shakespeare-Welt, die sich verzweifelt der neuen Zeit anpassen wollen, aber nicht merken, daß sie nicht neu ist, jedenfalls nicht in der Geschäftswelt. Mit dem Hinweis auf Shakespeare erledigt sich auch der Streit, ob Dürrenmatt der Brechtschen ‚Dreigroschenoper' eine zeitgenössische Korrektur entgegenstellen wollte.[139]

Die Kritik des Stücks im Westen ist vernichtend – nicht zuletzt auch wegen der Musik, der man, handelte es sich doch um die Produktion eines ‚Leichtmusikers', von vornherein skeptisch gegenüberstand –, und Dürrenmatt zog für sich daraus den Schluß, der „am meisten verrissene Autor der Welt" zu sein.[140] „Die deutschen ‚Starkritiker' setzten ihre Tradition, den erfolgreichen Schweizer zu zerfetzen, mit deutscher Gründlichkeit fort." Im Osten dagegen wird das Stück verstanden, und es wird – Dürrenmatt konnte sich davon bei seiner Polenreise überzeugen[141] – als konsequente Fortsetzung seiner Kritik an der „monopolkapitalistischen Gesellschaft" aufgenommen, und zwar begeistert. Ein tschechischer Germanist zieht aus dem Stück den Schluß, es zeige, „daß man in der bürgerlichen Gesellschaft von heute als Mensch nicht leben kann [. . .]. Man kann in dieser Welt nicht anständig leben, nicht menschlich bleiben".[142] Dürrenmatt freilich meinte es grundsätzlicher: die Ovationen, die das Stück in Polen begleiteten, deutete Dürrenmatt als Ausdruck der Empfindung, daß das Stück die eigene Lage spiegele.

Trotz der Ablehnung des Stücks gehen die Ehrungen seines Autors im Westen weiter. Für die ‚Panne' erhält er den Literaturpreis der ‚Tribune de Lausanne', den Preis der Kritiker von New York für die ‚Alte Dame' und den Schillerpreis der Stadt Mannheim für das bis dahin vorliegende dramatische Werk. Der ‚Mannheimer Morgen' kommentiert: ‚‚‚Die Welt ist schlecht, weil die Menschen schlecht sind!' sagt der Moralist Dürrenmatt."[143] Mit dem Stichwort ‚‚Moralist" scheint der natürliche Anknüpfungspunkt an Schillers Theater als ‚‚moralische Anstalt" gegeben. Dürrenmatt jedoch wehrt sich gegen diese Plakatierung. Er knüpft nicht an den ‚‚moralischen" Schiller an, sondern an dessen Unterscheidung von ‚‚naiv" und ‚‚sentimentalisch"; das naive Theater rühre nicht an die natürliche und göttliche Ordnung, das sentimentalische dagegen sei rebellisch; denn für den sentimentalischen Dichter sei ‚‚die Wirklichkeit nicht die Natur, sondern die Unnatur, die er im Namen der Natur zu richten hat. Das Theater ist Podium seiner Anklage. In Tyrannos."[144] Mit diesem Stichwort ist Dürrenmatt jedoch nicht mehr bei Schiller, sondern bei Brecht, insofern nämlich die Frage gestellt wird, ob die Erkenntnis der Unnatur nicht auch ‚‚moralischerweise den Hinweis notwendig" mache, ‚‚ auf welche Weise die Welt wieder in Ordnung kommen könne, und ob dieser Hinweis dann nicht die Aufforderung in sich schließen müsse, diesen Weg auch zu beschreiten".[145] Es geht also um die Veränderbarkeit der Welt. Dürrenmatts Antwort ist radikal im Sinne seines gesellschaftskritischen Theaters: ‚‚Die Welt hat sich nicht so sehr durch ihre politischen Revolutionen verändert, wie man behauptet, sondern durch die Explosion der Menschheit ins Milliardenhafte, durch die notwendige Aufrichtung der Maschinenwelt, durch die zwangsläufige Verwandlung der Vaterländer in Staaten, der Völker in Massen, der Vaterlandsliebe in eine Treue der Firma gegenüber. Der alte Glaubenssatz der Revolutionäre, daß der Mensch die Welt verändern könne und müsse, ist für den einzelnen unrealisierbar geworden, außer Kurs gesetzt, der Satz ist nur noch für die Menge brauchbar, als Schlagwort, als politisches Dynamit, als Antrieb der Massen, als Hoffnung für die grauen Armeen der Hungernden."[146] Dürrenmatt ist weit weg vom Moralisieren; es geht ihm um die Konsequenzen, die aus der gegenwärtigen Realität für das Theater zu ziehen sind; er zieht sie mit den ‚Physikern'.

# VIII. Die Ausmerzung des Individuums

## Weltgeschichte in den ,Physikern' und der Mensch ,,an sich"
## (1961–1965)

Der Physiker Möbius hat nicht nur die ,,einheitliche Feldtheorie", sondern auch die ,,Theorie der Elementarteilchen" und nebenbei auch noch das ,,System aller möglichen Erfindungen" entdeckt; er studiert die Auswirkungen der Theorien und stellt fest: ,,Das Resultat ist verheerend. Neue, unvorstellbare Energien würden freigesetzt und eine Technik ermöglicht, die jeder Phantasie spottet, falls meine Untersuchung in die Hände der Menschen fiele."[147] Indem er die Konsequenzen sieht, bricht er alle bürgerlichen Beziehungen ab und begibt sich ins Irrenhaus, um so seine Entdeckungen den Menschen zu entziehen. Der amerikanische und der sowjetische Geheimdienst setzen auf den berühmten Physiker ihre Geheimagenten, ebenfalls bekannte Männer vom Fach, an, die sich unter der Vorgabe, Newton bzw. Einstein zu sein, ebenfalls in das Irrenhaus des Möbius begeben, um seine Entdeckungen doch noch den Menschen, und das heißt ihrer Vernichtungsmaschinerie, ,zugute' kommen zu lassen. Möbius, der sieht, daß er weder in den USA noch in der Sowjetunion als Physiker frei sein dürfte, sondern nur Erfüllungsgehilfe der Machtgelüste der jeweiligen Politik wäre, besteht darauf, das erarbeitete Wissen zurückzunehmen, und er kann auch die Geheimagenten im Interesse der Menschheit dazu überreden, sich ihm anzuschließen. Da jedoch stellt sich heraus, daß die Irrenärztin, das bucklige Fräulein von Zahnd, die einzige tatsächlich Irre des Stücks, die Unterlagen von Möbius längst kopiert und im Auftrag des Königs Salomo in die Wirklichkeit umzusetzen begonnen hat. Der Amoklauf der Weltgeschichte beginnt; die Irre baut ihr Imperium auf. Eingebettet ist die Handlung – und das macht ihren zusätzlichen Reiz aus – in eine

Kriminalgeschichte: das Stück ist zweiteilig, jeder Teil beginnt mit der Aufklärung eines Mords durch die Polizei; im 1. Teil hat Einstein, im 2. Teil Möbius und vor der Spielzeit hat auch noch Newton seine Krankenschwester umgebracht. Alle drei Fälle liegen parallel, insofern alle drei Physiker ihre Krankenschwestern als mögliche Mitwisserinnen beseitigen müssen: hatten diese doch bemerkt, daß es sich bei den Irren nur scheinbar um Irre handelt. Der auftretende Kriminalkommissar, der sich über die beiden ersten Morde noch erregt, weil er die Täter nicht belangen kann, akzeptiert beim dritten Mord die Irrenwelt mit Genugtuung, aber da hat Fräulein von Zahnd die Krankenschwestern längst, wie es der Kommissar früher empfohlen hat, gegen Wärter ausgetauscht, und aus der Irrenanstalt ist ein Gefängnis geworden. Die Morde waren sinnlos.

Das Physiker-Drama fällt in eine weltpolitische Lage, die einen offenen Konflikt zwischen den Supermächten befürchten läßt. Im Mai 1960 wird ein amerikanisches Aufklärungsflugzeug bei Swerdlowsk von den Sowjets abgeschossen: damit ist die Tatsache von Aufklärungsflügen der USA über sowjetischem Gebiet offenbar; und die Sowjetunion sieht einmal mehr ihre Ansicht bestätigt, wonach der Westen einen Angriff plant. Am 13. August 1961 wird in Berlin die Mauer gebaut, und der damalige Regierende Bürgermeister fordert die USA schriftlich auf, die Mauer gewaltsam zu beseitigen. Im November 1961 stürzt im mittleren Westen der USA ein amerikanischer Atombomber ab, bei dem fünf der sechs Sicherungen versagen: eine Atomkatastrophe erscheint täglich möglich.

Gegen den weiteren Bau von Atombomben gibt es nachhaltige Bemühungen seit den vierziger Jahren; hier ist nur an die am Ende der fünfziger Jahre liegende Erklärung der deutschen Physiker in Göttingen zu erinnern, an die internationalen Konferenzen ,,Atome für den Frieden'', deren zweite 1958 in Genf stattfindet. Max Born formuliert 1959: ,,Der Mangel an Vernunft scheint mir ein Merkmal unserer Zeit zu sein. Wie reich ist sie an Leistungen des Verstandes, an Einsicht in die Geheimnisse der Natur und der Menschenseele, an Erfindungskraft – aber wie arm an sinnvollen Zusammenhängen und Zielen".[148] Aber es gibt auch andere Stimmen. 1961 publiziert Karl Jaspers eine schon 1956 im Rundfunk verbreitete und nun stark erweiterte Schrift unter dem Titel ‚Die Atombombe und die Zukunft des Menschen', die, den Kalten Krieg als gegeben voraussetzend, für die totale Konfrontation plädiert, weil aus der „Wahrscheinlichkeit der Selbstvernichtung der Menschheit [...] die Vernunft zur höchsten Wachheit gelangen [könne] und aus ihrer Freiheit der Ursprung zur Wende."[149] Jaspers kritisiert an der Göttinger Erklärung, die die Bundesrepublik zum Verzicht auf Atomwaffen aufforderte, es sei unsinnig, einen Pakt der Physiker gegen die Atomwaffen zu schließen, da doch die Frage, ob Atombombe oder nicht, nicht eine Frage der Physiker als Physiker, sondern der Physiker als Staatsbürger sei, und also seien sie ebenso wie alle anderen im staatspolitischen Sinn angesprochen. Der Bundesrepublik empfiehlt der Philosoph aus Bündnistreue und wegen der „Verteidigung des Abendlandes"[150] im Eventualfall, nicht allein zu handeln: „im eigenen Interesse und in dem Treueverhältnis, ohne das die freie Welt keinen Bestand haben kann, muß Deutschland dem einen Führungswillen [d.h. der atomaren Macht USA] sich fügen. Tut es das nicht, dann ist alle Solidarität der freien Staaten, aller Schutz gegen den Totalitarismus wenig wert."

Verweigerung oder Anpassung? Brecht hat im ‚Galilei' die Frage noch so gestellt, seinem Galilei die Anpassung verübelt, wo er doch als einzelner die Chance hatte, durch Verweigerung ein Zeichen zu setzen, sein Wissen gegen seine Zeit durchzusetzen. Möbius dagegen nimmt sein Wissen zurück, um sich der Zeit zu verweigern, weil die Zeit sein Wissen nicht mehr erträgt. Während Galilei widerruft und sein Wissen verrät, zieht Möbius sein Wissen zurück; gegen beide aber setzt sich das Wissen durch, im einen Fall für den Fortschritt der Welt, im anderen zu ihrem Untergang.

Möbius glaubt vernünftig zu handeln: „Wir dürfen uns nicht von Meinungen bestimmen lassen", sagt er zu den beiden Agenten, „sondern von logischen Schlüssen. Wir müssen versuchen, das Vernünftige zu finden. Wir dürfen uns keinen Denkfehler leisten, weil ein Fehlschluß zur Katastrophe führen müßte", und die Konsequenz lautet: ,,Wir sind in unserer Wissenschaft an die Grenzen des Erkennbaren gestoßen. Wir wissen einige genau erfaßbare Gesetze, einige Grundbeziehungen zwischen unbegreiflichen Erscheinungen, das ist alles, der gewaltige Rest bleibt Geheimnis, dem Verstande unzugänglich. Wir haben das Ende unseres Weges erreicht. Aber die Menschheit ist noch nicht so weit. Wir haben uns vorgekämpft, uns folgt niemand nach, wir sind ins Leere gestoßen. Unsere Wissenschaft ist schrecklich geworden, unsere Forschung gefährlich, unsere Erkenntnis tödlich. Es gibt für uns Physiker nur noch die Kapitulation vor der Wirklichkeit. Wir müssen unser Wissen zurücknehmen, und ich habe es zurückgenommen. Es gibt keine andere Lösung, auch für euch nicht."[151] War Galilei der negative Held, der widerrief, als seine Wissenschaft noch Fortschritt und den Menschen Erleichterung verhieß, so scheint Möbius nun der positive Held zu sein, der sein Wissen zurücknimmt, weil es den Menschen nur noch schaden kann. Galilei verrät seine Zeit, er verweigert die Verantwortung, die er als einzelner hat: ,,Aber es ist alles verändert heute! Der Mensch hebt den Kopf, der gepeinigte, und sagt: ich kann leben. So viel ist gewonnen, wenn nur einer aufsteht und *nein* sagt."[152] Möbius übernimmt die Verantwortung – aber er bewirkt nichts. Der Weltlauf geht an ihm und den anderen Physikern vorbei; die Welt hat den einzelnen unbedeutend gemacht, und wenn er ,,nein" sagt, so kümmert sie sich nicht mehr darum. Das Drama faßt die Einsicht lapidar in die Sätze: ,,Alles Denkbare wird gedacht" und ,,Was einmal gedacht wurde, kann nicht mehr zurückgenommen werden".[153] Das Spiel der Physiker im Irrenhaus entlarvt sich so vom Ende her als Farce: sie agieren so, als hätten sie noch die Möglichkeit, als einzelne Verantwortung zu tragen, als hätten sie noch die Möglichkeit, als einzelne am Amoklauf der Welt irgend etwas zu ändern. Sie spielen im buchstäblichen Sinn Theater vor einer Wirklichkeit, die sich um sie gar nicht mehr kümmert. Ihre Maske als Irre war schon Wirklichkeit, als sie noch glaubten, Theater zu spielen.

Damit verdeutlicht sich auch eine dramaturgische Konsequenz des dürrenmattschen Theaters: Man hat immer wieder behauptet, Dürrenmatt sei in Wahrheit Aristoteliker, insofern auch dieses Stück einmal mehr die Einheit von Raum, Zeit und Handlung vorführe und die Spielzeit mit der gespielten Zeit identisch werden läßt, wodurch der Zuschauer „um so illusionsbereiter in den Strudel der Ereignisse hineingerissen" werde.[154] Dabei aber stehenzubleiben, hieße nur die rein formale Seite der aristotelischen Einheit sehen und vor allem das Spiel der Physiker als bare Münze nehmen; nein: das Stück führt das eigene Geschehen als Theater vor, indem es in der Auflösung das Spiel der Physiker auch da, wo sie geistig normal sich aufführen – als bloßes belangloses und überflüssiges Spiel entlarvt. Der einzelne ist machtlos, das Denkbare wird gedacht von auswechselbaren Figuren, und *wer* das Denkbare denkt, ist am Ende völlig gleichgültig. Die Illusion erweist sich tatsächlich als Illusion. Damit vollführt die dürrenmattsche Bühne die Umwandlung des in Einsamkeit und Freiheit wissenschaftenden einzelnen in den Handlanger einer Maschinerie, die er weder mehr kennt noch zu beherrschen weiß. Auf der klassischen Bühne wird der klassische Held demontiert; die Verantwortung, die er übernimmt, ist belanglos geworden. Das Individuum wird ausgemerzt, das Unteilbare wird zerteilt, zergliedert, zerstückelt, Teil einer Maschinerie, funktionierend und ohne die Möglichkeit, noch einzugreifen.

Spätestens seit dem Fall J. Robert Oppenheimer ist bekannt, daß die Situation der Forscher jener entspricht, die Dürrenmatt in seinem Stück entworfen hat. „Was Amerika heute aber wirklich braucht, das ist eine Stärkung seiner wirtschaftlichen, seiner militärischen, seiner politischen Macht", sagt Roger Robb, Anwalt der Atomenergiekommission, in den Verhandlungen des Dokumentarstücks von Heiner Kipphardt. „Wir sind in der Geschichte an einem Punkt angelangt, wo wir erkennen müssen, daß unsere Freiheit ihren Preis hat, und es ist die geschichtliche Notwendigkeit, die es uns nicht erlaubt, irgendeinem Menschen, und wäre es der verdienstvollste, einen Rabatt darauf zu gewähren."[155] Der Preis der Freiheit also ist die Unfreiheit, das ist die wahre und zynische Konsequenz der Politik, die glaubt, daß alles, was möglich ist, auch in die Wirklichkeit umgesetzt werden muß. Oppenheimer hat die Ohnmacht der Physiker gesehen: ,,Es scheint ein weidlich utopischer Gedanke, daß überall gleich leicht und gleich billig herstellbare Kernenergie andere Gleichheiten nach sich ziehen werde, und daß die künstlichen Gehirne, die wir für die großen Vernichtungswaffen entwickelten, künftig unsere Fabriken in Gang halten könnten, der menschlichen Arbeit ihren schöpferischen Rang zurückgebend. Das würde unserem Leben die materiellen Freiheiten schenken, die eine der Voraussetzungen des Glückes sind, aber man muß sagen, daß die Hoffnungen durch unsere Wirklichkeit nicht zu belegen sind. Doch sind sie Alternativen zu der Vernichtung dieser Erde, die wir fürchten und die wir uns nicht vorstellen können. An diesem Kreuzweg stehend, empfinden wir Physiker, daß wir niemals so viel Bedeutung hatten, und daß wir niemals so ohnmächtig waren."[156]

Es scheint Dürrenmatts Überzeugung zu sein, daß sich in der Vermassung und Funktionalisierung der Menschen Ost und West grundsätzlich nicht unterscheiden, daß die Jaspersche Parteinahme (wieder einmal) für das sogenannte Abendland nur um so mehr zu seiner Zerstörung führt, als sie glauben macht, die Freiheit unteilbar zu besitzen. Durch die totale Konfrontation der Supermächte, durch die Atombombe gibt es keine ,,Geschichte" mehr, keine deutsche, amerikanische, sowjetische, schweizerische (jedenfalls im politisch relevanten Sinn), gibt es keine Vaterländer mehr und keine Völker mehr, wie es die Mannheimer Rede ausgeführt hat, sondern nur noch eine durch die gemeinsame Bedrohung verwobene Menschheit und durch die gemeinsame Bedrohung verwobene Staaten. Aus der totalen Konfrontation ist eine totale Geschichte geworden, Weltgeschichte in einem neuen Sinn. Das erklärt auch den Hintergrund der berühmten Begleitsätze des Physikerdramas: ,,Was alle angeht, können nur alle lösen." und ,,Eine Geschichte ist dann zu Ende gedacht, wenn sie ihre schlimmstmögliche Wendung genommen hat."[157] Der erste Satz ist nicht „die Prämisse eines sozialistischen Räsonements",[158] sondern eine globale Aussage einer durch die Atombombe global gewordenen Politik; er meint nicht, daß die Massen, die Proletarier die Politik in die Hand nehmen sollen (sie können es nach Dürrenmatt auch gar nicht), er meint: von der Atombombe sind wir alle betroffen, und es gibt nur eine globale Lösung, und das heißt in Dürrenmatts Sinn: es gibt keine. Der zweite, noch berühmtere Satz von der schlimmstmöglichen Wendung ist nicht nur Dramaturgie, er ist die Konsequenz aus der Physikergeschichte, die den Fortschritt als Chimäre entlarvt hat, die keine Geschichten mehr zuläßt, weil sie kein Fortschreiten mehr kennt. Da die einzelnen Systeme durch die totale Bedrohung belanglos geworden sind, gibt es auch keinen systemüberschreitenden Fortschritt mehr, gibt es keine wirkliche Entwicklung, keine neuen Qualitäten, keine Geschichte mehr, es sei denn die globale zuende gedacht. Veränderung im menschlich schöpferischen Sinn, die Rückgabe des schöpferischen Rangs an die menschliche Arbeit ist nicht mehr möglich, weil die erschaffene Maschinerie eine Eigenbewegung bekommen hat, die nicht mehr zu stoppen ist.

Was sich zunächst als konservativer Kulturpessimismus anläßt, ist die Konsequenz des neuen dürrenmattschen Verständnisses von „Weltgeschichte": die menschlichen Entwürfe einer besseren Zukunft sind von der Wirklichkeit längst überrollt. Die Schlußfolgerung ist einsichtig; aber auch sie ist Ausdruck der Zeit: das Denken der großen Gegensätze, die totale Konfrontation im Kalten Krieg, der immer wieder in einen heißen umzuschlagen drohte, hat sich bei Dürrenmatt künstlerisch und denkerisch niedergeschlagen. Das setzt die Tendenz fort, nach der ihm gerade das Ferne und Distanzierte wirksamer gewesen ist als das Unmittelbare. Indem Dürrenmatt den unbeteiligten Standpunkt einnimmt, draußen bleibt, die Neutralität wahrt, erscheint ihm das Globale entschiedener und bestimmender, wird die Konfrontation der Supermächte endgültig, wird die zweigeteilte Welt zur alleinigen Geschichte, zu dem, was sich einzig noch an wirklich bestimmender Wirklichkeit vollzieht. Es fehlt bei Dürrenmatt nicht nur die dritte und die vierte Welt, es fehlt auch das Alltägliche, das Kleine, das nur scheinbar klein ist.

Das Drama wird am 20. Februar 1962 im Schauspielhaus Zürich uraufgeführt. Die Aufführung war nicht nur dramaturgisch gut vorbereitet, sondern auch durch die Werbung. Der Inhalt blieb vor der Aufführung unbekannt, und das ganze wurde dem Publikum als gut verpackte Überraschung offeriert. Es zeigte sich dann auch stark berührt. Die Aufführung wurde ein großer Erfolg, 1962/63 war es eins der meistgespielten Stücke im deutschsprachigen Raum.

1962 schreibt Dürrenmatt das Hörspiel ‚Herkules und der Stall des Augias‘ als Theaterstück um. Es wird 1963, im März, ebenfalls in Zürich uraufgeführt. Das „Miststück“, das nun als Schauspiel das vermistete Land auch optisch vorführt, gilt – wie ‚Frank V.‘ – als grundsätzlich verunglückt; und es hat auch keinen Erfolg beim Publikum. Dürrenmatt führt den Mißerfolg auf den negativen Schluß des Schauspiels zurück, der den uneinsichtigen Phileus, den Sohn des Augias zeigt, wie er Herkules, der ihm die Braut geraubt hat, nachjagt und sich rächen will. Dürrenmatt erzählt die Geschichte zuende, ohne den ausgemisteten Garten als mögliche Zukunftsperspektive zuzulassen. Außerdem hat Dürrenmatt für die Zürcher Aufführung den Untertitel ‚Ein Festspiel‘ erwählt, der durchaus die Landsleute treffen sollte: die unheroische Herkules-Gestalt als Gegenentwurf zur heroischen Tradition der Schweiz mit dem Schillerschen National-‚Epos‘ ‚Wilhelm Tell‘. Die möglichen Heldentaten werden verhindert, weil die borniertе Langsamkeit der Institutionen, der mangelnde Überblick in der Enge des vermisteten Bauernlandes jegliche Aktion verhindern.

Im Festspiel des Herkules paart sich die globale Geschichtssicht der ‚Physiker‘ mit der lokalen Geschichtssicht des Schweizer Behördenstaats, der vor lauter Angst, die Paragraphen nicht zu erfüllen, Geschichte nicht mehr zuläßt. Globales und Lokales sind jedoch nicht unvermittelbare Gegensätze, jedenfalls für Dürrenmatt nicht: denn hinter der lokalen Engstirnigkeit steht nichts anderes als hinter der totalen Bedrohung: die sich verselbständigenden Institutionen, die nicht mehr von den Menschen beherrscht werden, sondern die Menschen beherrschen.

Im Frühsommer 1964 fährt Dürrenmatt mit seiner Frau in die Sowjetunion; Moskau, Leningrad, Kiew, die Ukraine, Georgien und Armenien sollen die größeren Stationen gewesen sein; im Juli 1964 berichtet er darüber in der ‚Zürcher Woche‘ unter dem Titel ‚Meine Rußlandreise‘. Der Bericht spiegelt die Widersprüchlichkeit seines Autors, wie sie sich auch schon in seinem Verhältnis zum Arbeitsplatz zeigte. Geht Dürrenmatt bewußt in die Enge, um sich so die weite Distanz zu schaffen, so findet er in der Weite merkwürdigerweise doch die Enge nur wieder: es gebe, so versichert er, ,,aufs Wesentliche reduziert, bei uns keine grundsätzlich andere Wirklichkeit“; Dürrenmatt sieht weniger das Andere, möglich Neue, er findet vielmehr das Gleiche, Eigene, Vertraute wieder: die moderne Industrie, ,,aufs Wesentliche reduziert“, wie im Westen, den Sozialismus, der ,,aufs Wesentliche reduziert“ auf nichts anderes als im Westen hinausläuft, und er sieht den Kapitalismus und behauptet: ,,Der Marxismus als geistige Macht, als Dogma ist sehr angeschlagen. Der Kommunismus als solcher ist tot.“[159] Mag das Urteil auch die Ideologie und das (immer mehr konsumorientierte) Verhalten der Sowjetbürger einigermaßen adäquat zu bezeichnen, so fehlen in Dürrenmatts Beschreibungen doch die Differenzierungen, die es trotz allem immer noch gibt und die verhindern könnten, ,weitsichtig‘ die eigenen (Fehl-)Entwicklungen für die einzig möglichen zu halten. Nicht alles läßt sich aufs ,Wesentliche‘ reduzieren, ohne daß dabei einiges abhanden kommt.

In diesen Zusammenhang gehört ‚Der Sturz‘, den Dürrenmatt erst 1971 ausführt, dessen Stoff ihn aber schon 1965 beschäftigt hat. Peter Spycher sieht darin ,,eine ‚dramaturgisch gedachte‘, tragikomisch gestaltete Auseinandersetzung mit der gelegentlich die Bosse wechselnden Machthierarchie eines Staats wie der Sowjetunion“.[160] Dürrenmatt weist später eine solche Deutung zurück, indem er sagt: ,,Mir diente weder ein kommunistisches Machtsystem noch ein Machtsystem in der Privatindustrie als Vorbild. [...] Es verlockte mich, ein Kollektiv ‚an sich' zu konstruieren, genauer, die Konzentration der Macht in einem Kollektiv ‚an sich' darzustellen, ein Machtsystem also, das sowohl im kommunistischen Machtbereich als auch in der Privatindustrie oder in anderen Regierungssystemen vorkommt."[161] Erzählt wird die Sitzung eines Kollektivs, das streng hierarchisch gegliedert und in dem jedes Glied einem bestimmten Sachbereich zugeordnet ist. Die Mitglieder, nur mit Buchstaben bezeichnet, verdächtigen einander der Konspiration, jeder fürchtet um seinen Platz in der festgefügten Ordnung. Die immer latent vorhandene Bedrohung kommt dann zum Vorschein, wenn sich ein Glied nicht im Gefüge befindet und also die Vermutungen nach den Gründen dafür einsetzen; das ist die Ausgangsposition des Romans. Atomminister O. erscheint nicht zur Sitzung; Thema der Sitzung aber ist die Auflösung des sogenannten Politischen Sekretariats, also des Kollektivs selbst, und zwar zugunsten, wie die Mitglieder gleich argwöhnen, des Vorsitzenden A. Da O. nicht erscheint, ist die Vermutung nicht weit, daß die Liquidation der Mitglieder bereits begonnen hat; und die übrigen Mitglieder des Sekretariats beginnen sich gegen den Vorsitzenden zusammenzuschließen, aber nicht nur ihn beargwöhnend, sondern auch sich gegenseitig der möglichen Konspiration verdächtigend. Das wird nun variationsreich durchgespielt, bis am Ende die Verschwörung gegen A. so weit gediehen ist, daß er von den übrigen Mitgliedern in der Sitzung liquidiert wird. Da erscheint der Atomminister O., ein zerstreuter Wissenschaftler, der erklärt, er habe sich leider im Datum geirrt. Aber da ist die Hierarchie auch schon neu geordnet. A. fiel einem Irrtum zum Opfer. Das ganze war eine Farce, ein überflüssiges, aber aus der Konstellation des Kollektivs ‚an sich' notwendig resultierendes Spiel mit ernsten Folgen. Das Kollektiv funktioniert nur, solange die einzelnen Glieder gegeneinander abgesichert sind; fällt eines aus, beginnt das ganze Gefüge zu wackeln, und selbst der Mächtige hat keine Chance mehr, wenn die übrigen Glieder sich gegen ihn einig sind, und sie sind es aus Angst, selbst liquidiert zu werden.

Hans Bänziger will, Dürrenmatts Interview von 1971 folgend, das Erzählstück von politischen, d. h. auf die Sowjetunion anspielenden Bezügen freigehalten wissen, und er hält Spycher vor, die fünfzehn Figuren „mit historischen Persönlichkeiten der Sowjetunion in Beziehung" gesetzt zu haben.[162] Wenn auch eine solche direkte In-Bezug-Setzung durchaus fragwürdig ist und auch unergiebig bleibt, so ist es doch Tatsache, daß Dürrenmatt nicht, wie er sagt, ein Kollektiv ‚an sich', sondern ein bestimmtes Kollektiv darstellt, das auch bestimmte politische Assoziationen zur Zeit zuläßt (und zwar auch bei aller Abstraktheit). Da ist erstens von einem „Politischen Sekretariat" die Rede (es geht also nicht in erster Linie um die Wirtschaft), da ist zweitens von einem Riesenreich die Rede, das drittens eine Revolution hinter sich gebracht hat, die viertens wiederum zunächst eine Parteienherrschaft notwendig machte (Lenins Weg), und da ist fünftens etc. von der Steppe, den Genossen, dem Regierungspalast etc. die Rede. Wenn also eine aktuelle Beziehung auf sowjetische Verhältnisse hätte ausgeschlossen sein sollen, so wären diese Einzelheiten bei aller Abstraktheit sonst doch sinnlos und irreführend. Sie zwingen dazu, an ideologische Auseinandersetzungen und tatsächliche Geschehnisse zu denken, sie sorgen dafür, daß identifiziert wird und der ‚Sturz' damit eine antisowjetische, antikommunistische Tendenz bekommt. Auch wenn man noch zugibt, daß dennoch die grundsätzliche Übertragbarkeit des Modells gewahrt bleibt, also die bestimmten Einzelheiten gegen bestimmte andere austauschbar sind, so fällt doch die Übertragung auf die ‚Privatwirtschaft' schwer: erstens ist ein wirtschaftlicher Hintergrund nicht angedeutet, zweitens ist das Kollektiv, und das scheint mir das Entscheidendste zu sein, so hermetisch geschlossen, daß es einen Ausbruch nur noch durch den Tod gibt. Das ist in der Privatwirtschaft nicht der Fall (jedenfalls nicht so), vor allem aber würde in der Privatindustrie die Hierarchie ganz anders wirken: es würde nach oben gebukkelt und nach unten getreten, der Boß vor allem ließe sich nicht von innen heraus, sondern nur von außen beseitigen; und drittens würde ein fehlender Sachbearbeiter als bloßes Kettenglied in der Privatwirtschaft einfach gegen einen anderen ausgetauscht: da käme kein Unternehmen ins Wanken, gehört es doch zur Grundlage der Wirtschaft, daß die Sachbearbeiter nur ihren Bereich, sonst aber nichts überblicken.

So läßt Dürrenmatt ein zwar abstrahiertes, aber in der Tendenz durchaus erkennbares Planspiel ablaufen, ohne konkrete Figuren, Figuren, die ohne individualisierende Namen bleiben, aber alle Spitznamen haben, ohne konkrete Wirklichkeit und ohne konkrete Handlung im Sinn von realer Geschichtlichkeit. Gezeigt wird, daß das Planspiel nicht aufgeht, wenn nur eine winzige Kleinigkeit ins Getriebe kommt – der Atomminister irrt im Datum –; aber getroffen wird, selbst durch die Tendenz, eigentlich nichts: das Politbüro agiert im luftleeren Raum, wieso, weshalb und mit welcher Berechtigung diese Buchstaben Macht haben, wird kaum angedeutet. Die Schachzüge bleiben innerhalb der geschlossenen Gruppe, die zwar ,,ergänzbar" ist, indem ein paar Buchstaben hinzukommen können; aber woher sie kommen außer aus dem Alphabet bleibt undeutlich. Trotz der konkretisierbaren Bezüge (die verhindern, daß man das Stück als Fortsetzung der Gesellschaftskritik an der westlichen Welt deutet) arbeitet Dürrenmatt – wegen der Hermetik der Gruppe – abstrakt, und das Ergebnis bleibt, wie bei allen Darstellungen ,an sich', belanglos, überflüssig, wie die Feststellung, der Mensch sei nun eben einmal ein Mensch. Was Dichtung belangvoll und bedeutsam macht, sind nicht die abstrahierbaren Ideen (der Mensch schlechthin, das Kollektiv an sich, die Welt an sich) – und mögen es auch die Literaturwissenschaftler noch so oft behaupten –, sondern die Darstellung des Besonderen, des Details, der konkreten Bezüge, die Hervorbringung des nicht unmittelbar abbildenden, wohl aber die Wirklichkeit nachvollziehenden Realismus, nicht lebloses Planspiel, in das der Zufall hineinbricht, sondern lebendiges Zusammenspiel in konkreten Bezügen, das in der Fülle der Details die unaufhebbaren, realen Reste bewahrt. Diese jedoch schlägt Dürrenmatt als Zufälle mit der Axt ins selbstgebastelte Konstrukt hinein: statt zu zeigen, daß die Welt nicht in den gezimmerten Plänen von Politbüros, in modernen gleichmachenden und gleichschaltenden Städtelandschaften und einsträngigen Detektionen aufgeht, und zwar in komplexer Darstellung, verfällt Dürrenmatt immer mehr darauf, selbst solche Konstrukte aufzubauen, um sie dann durch eine zufällige Kleinigkeit zu erledigen.

Glücklicherweise weist der ‚Sturz‘ noch einige tendenzielle (reale) Reste auf, die nun aber ironischer Weise objektiv (gegen die Intentionen des Autors) eine einseitig antikommunistische Haltung zeigen, die durch kein ‚westliches‘ Pendant aufgehoben wird. Ein zu hoher Abstraktionsgrad läßt die wenigen konkreten Details dann direkter erscheinen, als sie gemeint sind. Daß der ‚Sturz‘ im Osten keine Verbreitung erfahren hat, versteht sich damit von selbst, und auch im deutschsprachigen Raum blieb er weitgehend ohne Resonanz. Möglicherweise könnte der Erfolg des Buchs in Frankreich dazu beitragen, daß es in absehbarer Zukunft neu und anders auch bei uns gelesen wird.

1965 entsteht auch das Stück ‚Der Meteor‘, das in einem anderen Zusammenhang ausführlicher besprochen wird. Die Uraufführung des Stücks fällt ins Jahr 1966 (Januar), und sie zeigt Leonard Steckel in der Rolle des Schwitter (Steckel wird das Stück auch gewidmet). In der Bundesrepublik wird es kurz darauf in München und in Hamburg herausgebracht, und es wird ein beinahe uneingeschränkter Erfolg.

# IX. Entmythologisierung der Politik

*Bearbeitungen und Endspiele (1966–1975)*

Das Jahr 1966 markiert nach dem, was publiziert vorliegt, einen Einschnitt. Nach dem ‚Meteor‘ beginnt die Phase der Bearbeitung fremder und eigener Werke für die Bühne. Dürrenmatt nimmt eine Zeitlang eine feste Stelle am Theater an; es beginnt die Phase der eigentlichen Theaterarbeit, die ihn an der Literaturproduktion durchaus hindert, zugleich betätigt er sich als Mitherausgeber einer Zeitung. Die historischen Stoffe treten nun fast ganz in den Hintergrund (sieht man von den Bearbeitungen ab), und die aktuellen Themen verstärken sich. Gleichzeitig werden die Stoffe immer globaler, die Modelle der Theaterwelt immer abstrakter. Dennoch fällt es schwer, darin eine einheitliche Linie zu erkennen, weil die ständige Theaterarbeit ihn doch auch immer wieder mit konkreten Stoffen in Berührung bringt, die in den bedeutsamen Bearbeitungen von Goethe, Strindberg oder Shakespeare in originale Dürrenmatt-Kreationen verwandelt werden.

Am Nationalfeiertag, dem 1. August 1966, überrascht Dürrenmatt seine Landsleute mit einem Interview, das den satirischen Stückeschreiber in einer neuen Rolle zeigt, als politischen Kommentator; er mokiert sich über sein Land: ,,der Schweizer hat gelernt, in den gegebenen Verhältnissen zu leben, ohne sie noch wesentlich ändern zu wollen, weil das, was er hat, zwar nicht ideal, aber relativ anständig ist. Im ‚Herkules‘ sagte ich einmal: ‚In der elischen Politik ist es nie zu spät, doch stets zu früh!‘“ Und weiter sagt er: ,,Die Schweizer haben aus einem Instinkt heraus etwas Interessantes und Nützliches geschaffen, ein reiches demokratisches Instrumentarium, aber sie handhaben es schwerfällig und ängstlich und manchmal unmenschlich. Die Schweiz ist geradezu der Angsthase Europas geworden

[...]. Der Schweizer ist ohne Humor sich selbst gegenüber [...], fühlt sich allzuleicht in seiner Würde angetastet, in seinen Prinzipien in Frage gestellt, ständig fordert er Respekt [...]. Der Schweizer scheint mir manchmal für die schweizerische Verfassung nicht mehr geeignet zu sein, er *will* sich verwalten, bevormunden lassen."[163] Was Dürrenmatt sagt, ist wenig Neues gegenüber seinen poetischen Äußerungen; aber in welchem Rahmen er es sagt, scheint mir doch bezeichnend zu sein. Denn sich zum Nationalfeiertag zu äußern, und zwar auf so kritische Weise, schadet nach Walter Mattias Diggelmann: „Es schadet, jedem, der öffentlich erklärt, Wilhelm Tell sei eine Märchenfigur und es gäbe ihn in unserem Bewußtsein nicht ohne Friedrich Schiller. Es ist unklug zu behaupten, 1291 hätten sich auf dem berühmten Rütli nur die drei Großgrundbesitzer aus Laden, Uri, Schwyz und Unterwalden zum Schwur vereinigt, weil die Nachfolge des kurz zuvor verstorbenen Kaisers nicht gesichert war und sie gemeinsam entscheiden wollten, welchen Herrscher sie fürderhin akzeptieren würden."[164] Dürrenmatt beginnt sich zu schaden, indem er in seiner Dichtung und jetzt auch in der politischen Öffentlichkeit Erklärungen zum Tage abgibt, provoziert und sich engagiert.

Die Bereitschaft, sich politisch zu äußern und damit „festlegen" zu lassen (bei aller Vorsicht), mag nicht zuletzt dadurch mitbedingt sein, daß der Kalte Krieg allmählich von der Phase der „Friedlichen Koexistenz" abgelöst wird, durch die die unmittelbare Konfrontation eine Zeitlang wenigstens aus dem unmittelbaren Bewußtsein verdrängt und auch die das bedrohliche Ende der Geschichte anzeigende Atombombe in den Hintergrund gerückt wird. China zündet 1964 seine erste Atombombe, und zeigt sich damit nicht nur als dritte Macht unübersehbar in der total erscheinenden Konfrontation der USA und der UdSSR an, es versucht auch zu demonstrieren, daß die Atombombe begrenzt einsetzbar und also als Waffe einkalkulierbar ist. Die sogenannte Dritte Welt tritt in die Endphase des Kolonialismus ein, und die totale Unterentwicklung der Vierten Welt wird allmählich bewußt. Und nicht zuletzt nimmt der Vietnam-

Krieg Züge an, die offenbar werden lassen, daß die „Verteidigung der freien Welt" ein zynisches Märchen ist; Sartre und Russell errichten das Vietnam-Tribunal; die sogenannte Junge Generation tritt in der Studentenbewegung als außerparlamentarische Alternative langsam und unübersehbar hervor. Das „Nahe" und das „Konkrete" beginnt für eine Zeit wieder in den Vordergrund zu treten; die einzelnen, die geschundenen Menschen beginnen das Interesse zu beherrschen; die großen Fragen, die globalen Probleme treten zurück, da man sie zu verdächtigen beginnt, nur von den realen und bedrückenden Fragen abzulenken. Dürrenmatt nimmt an dieser Entwicklung bedingt und widersprüchlich teil: so ist er bereit, sich zur Tagespolitik zu äußern (im Gegensatz zu den fünfziger Jahren). Er äußert sich unter anderem zur Tschechoslowakei 1968, zu Israel 1967, er nimmt mit der Zeitung teil u. a. an der Studentenbewegung, an der Schwarzenbach-Initiative, und er brüskiert auf entschiedene Weise die Stadt Bern, die ihm einen Preis verehrt hat, und zwar zu diesem Anlaß. Gleichzeitig jedoch stellen die politischen Stellungnahmen (auf die zum Teil noch näher eingegangen wird) auch wieder eine Zurücknahme der Politik dar, indem sie erstens auf „dramaturgischen" Gesichtspunkten bestehen, eine „Dramaturgie der Politik" darstellen und zweitens auf die bereits herausgearbeitete globale Perspektive nie ganz verzichten (und insofern einen Widerspruch zur Zeit herstellen).

Ende 1966 schreckt Emil Staiger mit seiner Rede zur Preisverleihung des Zürcher Literaturpreises im Schauspielhaus der Stadt die literarische Öffentlichkeit auf, indem er den sich herausbildenden neuen kritischen Ansatz der Literatur zurückweist und seine Zuhörer auffordert, den „schlichten und gediegenen Grundriß [...], auf dem das Gebäude jeder großen Kultur errichtet worden ist", als unverzichtbares Fundament jeder Dichtung vorauszusetzen.[165] Der Angriff Staigers auf die moderne Literatur, die er als unzüchtig und ohne den „Grundriß" ausgestattet denunziert, entfacht den Zürcher Literaturstreit, der die literarische Szene vom Dezember 1966 bis etwa März 1967 beherrscht. Fast alle bekannten Schweizer Schriftsteller melden sich zu Wort, Dürrenmatt jedoch bleibt schweigsam, um sich ein Jahr später zu äußern, indem er Varlin, den Maler, schweigen läßt. Dürrenmatt stellt in der ,Varlin'-Rede den Literaturstreit als Umbruchspunkt im Verhältnis der Schweizer Schriftsteller untereinander dar: ,,Die Entfremdung unter den Dichtern nahm denn auch zu. Die Rede demoralisierte sie. Freundschaften gingen in die Brüche. Frisch und ich verkehren nur noch über unsere Rechtsanwälte. Wie Diggelmann mit mir verfährt, kann man in der ,Neuen Presse' lesen. Hugo Loetscher behandelt mich merklich kühler, vorher standen wir herzlich zueinander."[166] Später wird noch Peter Bichsel abgefertigt mit dem Verweis, er sei ganz unglücklich geworden, ,,weil bis jetzt noch niemand auf seine literarische Unsittlichkeit kam"; mit Staiger sei es schick geworden, unsittlich zu schreiben, und alle balgten darum, entsprechend ,,gewürdigt" zu werden. Dürrenmatt also wirft seinen Kollegen Opportunismus vor, und die Namen, die er nennt, bezeichnen – neben Max Frisch – durchaus Schriftsteller, die durch ihre nonkonformistische und engagiert gesellschaftskritische Haltung hervorgetreten sind, Schriftsteller, die in der zeitgenössichen literarischen Szene nach vorn drängen und die ,Klassiker der Moderne' zu verdrängen drohen. Die Rede bringt die Kollegen und Staiger auf einen Nenner, indem er ihnen gemeinsam vorwirft, daß sie Politik, Moral mit der Schriftstellerei verwechselten: ,,ich stelle auch bei Varlin starke Spuren einer anständigen sittlichen Gesinnung fest. Nur: malt er damit?"[167] Das ist subjektiv einleuchtend, nachvollziehbar und, nebenbei gesagt, auch gut formuliert. Nur: objektiv schlägt diese Haltung ins Gegenteil dessen um, was sie meint: Frisch, Bichsel, Loetscher und Diggelmann sehen durch Staigers Rede ihre Meinung bestätigt, daß Kunst und sittliche Gesinnung, Kunst und Politik sehr wohl miteinander zusammenhängen und daß die sich unpolitisch und überzeitlich verstehende Wissenschaft vom sprachlichen Kunstwerk als ,,sehr gewissen" politischen Zielen, wie Frisch gesagt hat,[168] dienend sich selbst entlarvt hat. Der aristokratische Standpunkt, der der Distanz zum bloß irdisch schmutzigen Geschäft, stellt sich, so sehen es Staigers Kritiker, als politisch reaktionär, ja latent präfaschistisch dar, indem er wieder einmal, ohne die Dinge wirklich zur Kenntnis genommen zu haben, die nicht auf dem „Grundriß" ruhende Literatur als „entartet" einstufen möchte. Nicht gesehen wird, daß das von Staiger genannte Personal der modernen Literatur, die Zuhälter, Dirnen und Säufer, gerade bürgerliche Figuren sind, Gestalten aus dem bürgerlichen Heldenleben und keine Erfindung der modernen Literaten; und Dürrenmatt will auch nicht einsehen, daß der Zusammenhang von Bürgerlichkeit und sogenannter unsittlicher Gesinnung, von propagierter heiler Welt und unter der Hand geflüsterter Anzüglichkeiten, vom Vorwurf der Entartung und der Füsilierung der Entarteten von der modernen Literatur der Zeit gerade erwiesen werden soll; und es wäre dabei bloß an den von Staiger alleingenannten Autor Peter Weiss und dessen Stück ‚Die Ermittlung' oder an Martin Walsers Stücke ‚Der schwarze Schwan', ‚Eiche und Angora' oder seinen Roman ‚Das Einhorn' zu denken.

Dürrenmatts Rede zeigt, daß er das politische Engagement der Poesie nicht zur Kenntnis nehmen will; er beharrt unbekümmert auf der Meinung, politisches Engagement und Kunst schlössen einander aus, und äußert sich deshalb über Politik auch nicht in der Kunst. Indem Dürrenmatt das politische Engagement der Gegner Staigers nicht wenigstens in seine Überlegungen aufnimmt, schlägt er sich objektiv auf Staigers Seite und bestätigt dem Literaturwissenschaftler seine aristokratisch ferne, distanziert vornehme Haltung, die gewisse Dinge aus der Ferne einfach nicht mehr wahrnimmt, und er bestätigt auch noch einmal ausdrücklich die Haltung, daß der Schriftsteller für die Folgen seiner Werke nicht einzutreten brauche, weil er nur „künstlerisch" zu denken, zu arbeiten habe, nicht aber für die gewiß vielfältige Verwendung seiner Schriften einstehen könne. „Er [der Schriftsteller] hat selber keine Ahnung von der Wirkung seiner Werke, es ist wie in der Bergpredigt: man sät, aber man weiß nicht, was man erntet, man weiß nicht, wohin die Körner fallen."[169] Das aber ist die Haltung, die dem Naturwissenschaftler gestattet, nur Naturwissenschaftler zu sein, nicht aber für die Wirkung und Verwendung seiner Arbeit eintreten zu müssen. Dürrenmatt streitet Staiger das Recht ab, der Literatur mit moralischen Kategorien beizukommen, und er hält ihm vor, statt dessen eine heile Welt zu erfinden, aber er gibt Staiger recht, wenn dieser die Kunst als grundsätzlich unpolitisch festschreibt, weil sie nicht in den gesellschaftlichen Bezügen zu stehen habe, wenn sie Kunst sein will. Darum aber ging der ganze Streit.

Die erste öffentliche Reaktion Dürrenmatts auf die Staiger-Rede findet jedoch auf der Bühne statt; in der Neubearbeitung von ‚Es steht geschrieben' unter dem Titel ‚Die Wiedertäufer'. Dort läßt er den Kardinal die Staigersche Frage stellen: ,,In welchen Kreisen verkehrt Ihr eigentlich?''[170] Diesmal sind aber nicht Huren, Säufer und Zuhälter gemeint, sondern das Volk, das der Bischof als Opfer der Geschichte in die politischen Überlegungen einbezogen sehen möchte.

‚Es steht geschrieben' hat Dürrenmatt noch unter dem Gattungsnamen ‚Drama' eingestuft; die ‚Wiedertäufer' sind – nun im Sinne der ‚Theorie' – zur Komödie geworden, indem der Täuferkönig Bockelson als bewußter Schmierenkomödiant auftritt, der, weil er einmal bei der bischöflichen Schauspieltruppe abgewiesen worden ist, nun die Welt buchstäblich zum Theater, zum Schauplatz macht und die Menschen zum Narren hält. Diese Verschiebung wird freilich nur aus dem ins Lächerliche gezogenen Blickwinkel der oberen Ränge gesehen, und die Frage, wieso alle auf das rhetorische Geschwätz des Täufers hereinfallen, wird gar nicht genügend ernst genommen – wie auch das Volk nicht, das für Dürrenmatts Gag einzustehen hat. Dürrenmatt hat selbst die Beziehung zu Brechts ‚Arturo Ui' hergestellt, und es ist Henning Rischbieter zuzustimmen, wenn er über beide Stücke sagt: ,,Die Brechtsche Figur ist immerhin noch interessant, weil noch in der Karikatur gefährlich: sie läßt einen Fanatismus spüren, der die eigene Misere überspielt und so die Massen zu ergreifen vermag. Dürrenmatts Bockelson aber ist nichts als ein Scheinheiliger, dem die Besessenheit des Demagogen abgeht.''[171]

Wesentlich für die Neubearbeitung ist die konsequente Theatralisierung des Stoffes. Ist die erste Fassung bemüht, am geschichtlichen Stoff die Ausmerzung der Geschichte zu zeigen, so wird jetzt die Historie ganz zur Fiktion; sie wird ein Spiel, das bloß inszeniert wird, weil der Hauptdarsteller Menschen und Welt zum Mitspielen braucht, um so die Welt von seiner wahren Kunst zu überzeugen. Und die Menschen spielen mit, arrangiert und eingesetzt durch die zynische Figur des Bockelson, der sein eigener Regisseur ist.

Beigegeben sind dem Stück theoretische Reflexionen, die die frühere Theatertheorie fortführen. Berühmt und paradigmatisch wird dabei das ‚Modell Scott‘,[172] das die verschiedenen dramaturgischen Lösungen des Falls durch die Dramatik am Beispiel vorführt: da ist Shakespeare, der Scott aus dem Charakter entwickelt und ihn notwendig scheitern läßt, da ist Brecht, der Scotts Expedition aus „wirtschaftlichen Gründen und Klassendenken" scheitern läßt, da ist Beckett, der Scott und seine Begleiter, zu Eisblöcken gefroren, ihr monologisches Endspiel vorführen läßt, und da ist Dürrenmatt schließlich, der Scott beim Einkaufen der Lebensmittel für die Expedition in einen Kühlraum geraten und dort schmählich erfrieren läßt. Scott wird gehindert, Scott zu werden: „dennoch ist Robert Falcon Scott im Kühlraum erfrierend ein anderer als Robert Falcon Scott erfrierend in der Antarktis, wir spüren es, dialektisch gesehen ein anderer, aus der tragischen Gestalt ist eine komische Gestalt geworden, komisch nicht wie einer, der stottert, oder wie einer, der vom Geiz oder von der Eifersucht überwältigt worden ist, eine Gestalt komisch allein durch ihr Geschick: Die schlimmst mögliche Wendung, die die Geschichte nehmen kann, ist die Wendung in die Komödie." Ist die zuende gedachte Geschichte in den ‚Physikern‘ noch eine potentielle Schlußfolgerung aus der wirklichen Geschichte in Anbetracht der weltpolitischen Konstellation, so wird sie jetzt ein zweiter, alternativer Schluß zu bereits vorhandener, abgeschlossener Geschichte, und das heißt: ein Scott nur und nur ein Scott wird in der Tiefkühltruhe komisch. Die schlimmst mögliche Wendung im Fall Scott ist angewiesen auf die Historie des realen Herrn Scott, der im Wettlauf nach dem Südpol vier Tage zu spät kommt und auf dem Rückweg durchs Eis in der Antarktis erfriert. Damit ist die schlimmst mögliche Wendung grundsätzlich Fiktion geworden, ,,Richtigstellung" der realen Geschichte, die nur auf dem Theater zu ändern ist. Damit ist die Trennung von Kunst und Wirklichkeit, von Fiktion und Politik auch in der Kunst noch einmal radikal gezogen. Das ,Wiedertäufer'-Stück ist ihr Ausdruck: der Schmierenkomödiant Hitler, der Faschismus wird in der Komödie aufgehoben, aus der einstmaligen Wirklichkeit ist Spiel geworden, Theater.

In den Zusammenhang gehört auch die 1967 wieder entschiedener einsetzende Auseinandersetzung mit dem Theater, der Bühne. Im Juli 1967 publiziert Dürrenmatt in der ,Weltwoche' ein Gespräch, in dem er seine Vorstellung vom neuen Theater in der Schweiz entwickelt; er verlangt eine drastische Reduzierung der Inszenierungen auf sechs pro Spielzeit, und er teilt sie nach folgendem Schlüssel auf: ,,einen bis ins letzte geprobten Shakespeare, einen deutschen Klassiker, einen Brecht, einen Schweizer und zwei moderne Stücke".[173] Neben dem ,,normalen Theaterbetrieb" verlangt Dürrenmatt überdies ein Informationsprogramm, das historische Stücke in Improvisationen vorführt. Ab Herbst 1968 kann Dürrenmatt dann seine Vorstellungen in die Praxis umzusetzen versuchen (mit bescheidenem Erfolg); denn in der Spielzeit 1968/69 tritt er dem neugebildeten Stab der vereinigten Basler Theater als künstlerischer Berater und als Hausautor bei. Es handelt sich um die Spielzeit, in der Werner Düggelin die Leitung des Theaters übernimmt. Düggelins Programm ist durchaus politisch ausgerichtet – man wolle keine ,,Vernebelung und Schönfärberei politischer und sozialer Zustände" –, aber es betont ebenso die Frage nach dem künstlerischen Handwerk, das immer die Grundlage auch kritischer, aufklärerischer Haltung bleiben müsse.

Die praktische Theaterarbeit beginnt in Basel mit der Bearbeitung des ,König Johann' von Shakespeare, der sich unter der Hand zu einem neuen Dürrenmatt-Stück auswächst. Siegfried

Melchinger berichtet davon: „Bei Shakespeare kommt nicht vor, was Dürrenmatt gereizt hat: das Verhältnis zweier Figuren, des Königs und des Bastards. Der Bastard ist zum Außenseiter bestimmt, weil er nicht König werden kann. Ein Außenseiter steht der Welt *gegenüber:* also will er die Welt ändern, im Sinne der Vernunft. Er kann sie aber nur ändern mit Hilfe des Werkzeugs, das der schwache König darstellt. Dieser hat die Größe, der Vernunft zu gehorchen: darin wächst der Schwache. Aber es zeigt sich, daß alle Vorschläge scheitern."[174] Anhand des historischen Stoffs vom König Johann, dem Plantagenet, der als jüngerer Bruder auf Richard Löwenherz folgt, obwohl sein Neffe Arthur, der Sohn des älteren Bruders, das Recht auf seiner Seite hat, den Thron vor Johann zu besteigen, wird das Scheitern der Vernunft vorgeführt. Auf der einen Seite stehen bei Dürrenmatt der junge Arthur, hilfloses Werkzeug in den Händen der Mutter, der mit Philipp von Frankreich verbündet ist, auf der anderen Seite Johann, der nicht nur die Kirche, sondern auch seine Nobilität im Nacken hat. Im Kampf um die Ansprüche auf den Thron entstehen dann die Verwicklungen, die Johann, den Bastard als Berater an der Seite, „vernünftig" zu lösen versucht. Aber immer wieder scheitert er daran, daß die Wirklichkeit sich nicht vernünftig verhält, daß immer wieder unvorhergesehene und unvorhersehbare Ereignisse den vernünftigen Plan zunichte machen. So will Johann die Parteien vor Angers (auf Kosten Arthurs) durch politische Heiraten befrieden, doch der Bannfluch des Papstes kommt dazwischen, und nun geht der Kampf erst richtig los. Im Kampf nimmt Johann Arthur gefangen und will mit ihm als Faustpfand einen für ihn günstigen Ausgleich suchen; aber Arthur springt aus dem Burgturm, der sein Gefängnis ist, und stirbt. Johanns letzte Chance, die Königswürde zu bewahren, ist eine Versöhnung mit Rom; da aber wird Johann vergiftet von einem Vertreter des Adels, der ihm seine Wendung zum Volk – er ist der Urheber der ‚Magna Charta' – verübelt und einen dem Adel gefügigeren König wünscht; der letzte vernünftige Ausweg ist versperrt. Der König bricht mit der Magna Charta in der Hand tödlich zusammen, während der neue König, das Kind Heinrich, von Adel und Kirche gesalbt und gekrönt wird, als ein neuer Spielball in den Händen der Parteien. Hauptperson des Dürrenmatt-Dramas ist nicht mehr der König, sondern sein Berater, der Bastard, der bei Shakespeare ein unbeteiligter, teils zynisch kommentierender Beobachter des Geschehens ist. Bei Dürrenmatt wird er Inszenator und Planer des Spiels, das so gar nicht nach seinem Willen verläuft. Wenn er auch selbst kaum handelt, so ist er doch die Ursache für die Handlungen des Stücks, eine Dramenfigur, die sich deshalb widerspricht, weil sie nichthandelnd Handlung ist. Der Bastard ist besessen von der jeweilig besten, humansten Lösung der Konflikte, und Johann sagt von ihm, als er ihn in seine Dienste nimmt: ,,Ein Bastard findet diese Welt im argen. / Der Makel seiner Abkunft zwingt ihn dazu. / Er will die Welt verbessern. Doch das Werkzeug / Zum beßren Bau kann nur ein König sein / Wie ich.“[175] Aber die Wirkung der Weltverbesserung ist: ,,Seid / Bedankt, daß Ihr die Welt zu bessern trachtet. / Ihr habt Gewaltiges erreicht, mein Beifall. / Erst sank Angers in Staub, nun stehen England / Und Frankreich sich noch tödlicher verhaßt / Als vor dem faulen Frieden gegenüber, / Das Meer von Blut verdoppelnd, das zu meiden / Ihr vorgabt.“[176] Und: ,,Schon wieder hat mich die Vernunft verführt. / Viel zu vernünftig, ihr zu widerstehen, / Geht meine Macht durch sie zu Grunde.“[177] Und am Ende folgt der Fluch des Königs: ,,Du hast mich mit Vernunft vergiftet! [. . .] Du brachtest nichts als Unglück. / Die Welt verbessernd, machtest du sie nur / Verdammter.“[178] Dürrenmatt variiert an Shakespeare sein altes Thema: je mehr der Mensch sich durch seine Planung der Welt zu bemächtigen versucht, um so schlimmer wird am Ende die Welt.

Dennoch: der ,Johann‘ fällt in eine Zeit, die einen anderen Blick auf das Stück eröffnet. In einer Anmerkung zum Stück verweist der Autor darauf, er habe es vermieden, ,,den Bastard, der hier mit blutverschmierter Metzgerschürze auftritt, allzu ,ideologisch‘ erscheinen zu lassen“.[179] Die Anmerkung bezieht sich auf eine der stärksten Szenen des Stücks: die Bürger von Angers stehen – zunächst bloß als Zuschauer im Streit von

122

England und Frankreich – auf der Mauer und warten auf eine Entscheidung; in doppelter Bedeutung erscheinen sie im Stück als Mauerschauer, als jenes dramatische Mittel der ‚Teichoskopie‘, das es ermöglicht, gleichzeitiges, aber nur schwer auf der Bühne darstellbares Geschehen in die unmittelbare Handlung einzubeziehen. Gleichzeitig kommentieren die nicht mitkämpfenden Könige Johann und Philipp den Kampf im aggressiven Sportberichterstatter-Ton; die Könige zählen die Toten, als handle es sich um geschossene Tore; da sagt der Bastard: ,,Die Bürger von Angers verhöhnen euch. / Sie stehen auf ihren Zinnen sorglos da, / Wie im Theater gaffen sie und zeigen / Auf euer emsig Schauspiel voller Tod. / Doch seid ihr Fürsten besser? Eure Gnaden / Betrachten sich zu Pferde und zu Sänften / Mit Kennerblick vom sichern Hügel Wut / Gemetzel, Tod, Gebrüll, Gestöhn der Männer, / Die eure Untertanen sind, für euch / Mit Flüchen gotteslästerlich verbluten. /Und Helden gibt es nicht. Nur Opfer.‘‘[180] Nach dem Opfer folgt die Anmerkung. Ist es Zufall, daß Dürrenmatt diese Gestalt 1968 unterläuft? Und sie, es offenbar bemerkend, gleich wieder zurücknimmt, weil die Politik aufs Theater zu kommen droht? Abgestritten wird, die Gestalt könne direkt mit der Studentenbewegung der Zeit identifizierbar sein. Aber ich finde, es ist – und zwar gegen das ganze Stück – eine der wichtigsten und umfassendsten Gestalten von Dürrenmatt geworden, die er sich wahrscheinlich mit Shakespeares Stoffülle zusammen eingehandelt hat, und diese Gestalt tritt in eine merkwürdige Beziehung zur Welt, die in der Formel ,,Die Welt verbessernd, machtest du sie nur / Verdammter‘‘ zum Ausdruck kommt. Das heißt einmal: politisches Engagement, der Versuch, die Welt zu verbessern, ist unsinnig, weil gerade dadurch die Welt nicht besser, sondern schlechter wird. Dürrenmatt hält der Studentenbewegung (und nicht nur ihr) vor, auch sie wolle einmal mehr die vollkommene Welt der Zukunft und trage eben dadurch bei, die gegenwärtige Welt in den Ruin zu treiben. Andererseits heißt das: je mehr man plant, je mehr man mit einer bestimmten Entwicklung, mit bestimmten Notwendigkeiten rechnet, desto wirksamer trifft der Zufall (wie es dem Bastard im Stück immer wieder geschieht). Freilich führt sich damit die Theorie des Zufalls selbst ad absurdum, indem der Zufall planmäßig erscheint, nämlich dann, wenn der Plan des Menschen zu zerstören ist. Je mehr Plan, desto mehr Zufall, heißt jetzt das Gesetz: dieses Gesetz aber hat sein Vorbild in der antiken Tradition, das mit ihm – und Dürrenmatt tut es ganz ähnlich – die Blindheit der Menschen demonstriert. Modell dafür ist ‚König Oedipus‘. Oedipus erhält durch das Orakel seinen Schicksalsweg vorgezeichnet; da es ihm nichts Gutes verheißt, versucht er planmäßig seiner Bestimmung zu entgehen, indem er das Gegenteil von dem macht, was das Orakel nahelegt, und erfüllt es gerade dadurch. Die Oedipus, dem Verblendeten, erscheinenden Zufälle erweisen sich als Notwendigkeiten einer höheren Ordnung, deren Sinn ihm erst am Ende, nach der Katastrophe und überdies als Geblendetem offenbar wird. Wenn Dürrenmatt den Zufall immer dann stupend eintreten läßt, wenn der Bastard einen neuen Plan gefaßt hat, und wenn er am Ende den König Johann den Zusammenhang zwischen menschlicher Planung und der Planung zerstörenden Zufälligkeit in der zitierten Formel herstellen läßt, so kehrt das Drama zu dem zurück, was es zu leugnen angetreten ist, zur Tragödie. Der Mensch bleibt blind gegenüber dem ihm vorgezeichneten, ihm aber unbekannten Schicksal; indem er ihm entgehen möchte, indem er das Gute tut, bewirkt er notwendig das Schlechte, und erst die von ihm zerstörte Welt vermag ihm vielleicht die Einsicht in die höhere Ordnung, die sich als Pendant zum ‚Zufall‘ einstellt, zu vermitteln.

Oder noch einmal am Stück gesagt: je mehr der Bastard versucht, die Welt zu bessern, um so mehr verschlechtert er sie, und das in einer Folgerichtigkeit, in einer gegenseitigen Abhängigkeit von Planung und wirklichem Geschehen, daß sich diese Wirklichkeit wieder dem antiken Fatum annähert. Die scheinbare Offenheit des Zufalls ist eingebettet in eine geschlossene Welt, deren unerbittliche Notwendigkeit, deren Ordnung erst an ihren zerstörerischen Erscheinungen offenbar wird. Der Zufall wird der Sinn, den Wahnsinn zu bewirken. Die offene Welt des

Zufalls im ,König Johann', verstand sie sich zunächst doch als Gegenbild zur Realität, als Alternative zu ihrer Geschlossenheit, ist einer Welt gewichen, in der der Zufall nur deshalb so wirksam sein kann, weil sie geschlossen ist; sie verschmäht es, sich auf die komplexe Wirklichkeit einzulassen. Diese hätte vielleicht den Blick auf die Opfer gelenkt, auf die sogenannte Ideologie. Die Zurücknahme der Bastard-Figur als mögliche politisch aktuelle Gestalt gelingt nur in der Tragödie. In einer offenen Welt hätte sie womöglich trotz allem eine Zukunft.

Mit der Bearbeitung des Shakespeare-Stücks stellt sich Dürrenmatt in eine dramatische Strömung der Zeit, die unter dem Eindruck der Dramaturgie Antonin Artauds in Deutschland in der Mitte der sechziger Jahre einsetzt: das Drama wird nicht mehr in erster Linie als Literatur verstanden, sondern als Partitur für das Theater; die Bühnenaufführung erhält den Vorrang gegenüber dem Text (Beispiele sind etwa Peter Zadeks Bremer Inszenierungen von Schillers ,Räubern' und Shakespeares ,Maß für Maß', in einem eingeschränkteren Maß gehören aber auch die Bearbeitungen von Klassikern hierher, die das Ziel haben, den klassischen Text sozusagen zeitgenössisch ,richtigzustellen', wie Heiner Müllers ,Philoktet' von 1965 und ,Oedipus Tyrann' von 1967 u. a.). Dürrenmatt findet allerdings für seine Theaterarbeit eine eigene Begründung; im Programmheft der Mississippi-Aufführung in Zürich von 1967 schreibt er in einem offenen Brief an Maria Becker: ,,Ein Schauspieler ist mehr als ein Rollenträger, er ist ein Mensch auf der Bühne. Für diesen Menschen auf der Bühne kann ich nicht mehr ,rein Sprachliches' liefern oder das, was die Kritiker Stil nennen, das käme mir zu billig vor; für den Menschen auf der Bühne vermag ich nur ,Stichworte' zu schreiben, letzte Resultate seines Denkens und Fühlens; und der Schauspieler ,ergänzt' diese Stichworte mit seinem Sein, mit seiner Bühnenexistenz und mit seiner Interpretation zum Menschlichen hin. Die Bühne ist durch den Schauspieler mehr als Literatur."[181] Das ist eine radikale Absage an die ,Literatur', an den fixierten, unantastbaren Text (die Philologen werden endgültig ausgeschlossen) und die Betonung des Theaters, der

Bühne als des einzig ‚rechtmäßigen‘ Orts für die Stücke. Der Schriftsteller tritt hinter den Dramaturgen zurück, die entworfene literarische Figur hinter die Person des Schauspielers, der sie verkörpert. Der Text hat ohne die Aufführung keine Existenzberechtigung mehr.

Die vollständige Theatralisierung ereilt nach dem Wiedertäufer-Drama als nächstes Strindbergs Stück ‚Totentanz‘, das den neuen Titel, erborgt aus Jazzvariationen zu Johann Sebastian Bach, ‚Play Strindberg‘ erhält, den Spielcharakter schon im Titel signalisierend. Die Bühne ist nun ein Boxring, die Szenen werden als Runden des Ehespiels angesagt, die Ehe verläuft als Kampfspiel, nach den Regeln des Theaters. Die Sprache wird dem theatralischen Schlagabtausch angepaßt, knapp, aber treffend. Der Zuschauer ist eingeladen, dem Kampf beizuwohnen, seine sportlichen Aspekte zu genießen und die Punkte zu verteilen. Bei Strindberg ging es noch um den drohenden Tod: Alice und Edgar, beide in der Ehe unausgefüllt, haben sich von jeher immer wieder zu trennen versucht; sie trauern, im Alltag aufgerieben, ihrer im Laufe der Zeit immer mehr idealisierten Freiheit nach und dem angeblichen Ruhm vor der Ehe, ohne zu merken, daß sie, sich abstoßend aneinandergekettet, keine Trennung finden, es sei denn durch den Tod; denn das Leben, die Existenz ist es, was sie einschließt, aneinanderkettet. Dürrenmatt hat an Strindberg der ,,Plüsch‘‘ und die ,,Unendlichkeit‘‘ gestört, also die saturierte Bürgerlichkeit des Stoffs und sein Bezug zur Transzendenz, zur außerirdischen Realität. Den Plüsch beseitigt Dürrenmatt, indem er die ,,literarische Seite‘‘ eliminiert, aus der ,,bürgerlichen Ehetragödie [...] eine Komödie über die bürgerlichen Ehetragödien‘‘ macht,[182] die Transzendenz kommt durch die Umwandlung des ‚Totentanzes‘ in einen Boxkampf abhanden.

Ebenfalls umgewandelt ist die dritte Figur des Stücks, Kurt. Bei Strindberg ist er der aus Amerika heimkehrende Vetter von Alice, der auf der Insel die Stelle eines Quarantänemeisters übernimmt und im Zusammenhang der Ehe als Rammbock, Auslöser und Katalysator des Kampfes figuriert, die objektivierende dritte Person, die den Kampf offen, Sprache werden läßt. Bei Dürrenmatt ist die Stelle des Quartiermeisters nur noch Vorwand für Kurt, um in das Spiel der beiden mit gezinkten Karten einzutreten. Alice und Edgar machen sich beide Hoffnungen, sich voneinander befreien zu können, indem sie Kurt als Mittel benutzen, als Mittel nämlich insofern, als sie glauben, ihn als Verbrecher entlarven und erpressen zu können. Aber Kurt ist nicht der kleine Verbrecher, als der er sich ausgibt, er ist der große Gangster, der auf der Insel einen Hafen für seine Handelsflotte sucht und längst unantastbar geworden ist: ,,Es tut mir leid, Alice. Ich bin kein kleiner Krimineller, ich bin ein großer Geschäftsmann. Ich habe [...] Millionen verdient. An Geschäftsleute meiner Größenordnung kommt dein Staatsanwalt nicht heran, sei brav, Alice."[183] Kurt ist der Mitspieler, der sich nicht an die Regeln hält und deshalb Alice und Edgar bluffen kann; er sieht in die ,,kleine Welt" der Eheleute hinein, und er findet, daß sie genauso schäbig, genauso verrottet ist wie die große Welt, zu der er gehört.

Die zuende gedachte Theatertheorie, nach der der Autor nurmehr Stichwort-Lieferant ist, verwirklicht sich in ‚Play Strindberg' dadurch, daß das Stück als Boxkampf angelegt ist: das Wort als Schlagabtausch, aber auch als Waffe, als Täuschung, als Vortäuschung und als Enttäuschung, und nicht zuletzt als Wortspiel. Die Verknappung der ‚Literatur' ist in diesem Stück unmittelbar einsichtig in seiner neuen Organisation und darin, daß sie als sprachliches Äquivalent zur neuen Form zu betrachten ist; insofern setzt Dürrenmatt seine Theorie angemessen um.

1968 ist der Einmarsch der Truppen des Warschauer Pakts in die CSSR zu verzeichnen; Dürrenmatt reagiert diesmal zusammen mit Peter Bichsel, Max Frisch, Günter Grass, Kurt Marti und Heinrich Böll auf den Einmarsch; freilich will er auch diesmal weniger protestieren als analysieren. In einer Zeit, in der das Argument, daß letztlich alles politisch vermittelt sei (auch das Unpolitische), kaum auf offenen Widerspruch stößt, versucht Dürrenmatt, die Politik zu ,,entmythologisieren": ,,Der Mensch, der die Natur entmythologisierte, muß, denkt er konsequent, auch die Politik entmythologisieren. Die Entmythologisierung der Natur geschah, indem der Mensch sein eigenes Denken zu begreifen und damit anzuwenden lernte, geschah, indem der Mensch eine Methode erfand, mit Hilfe von bewußten Fiktionen die Natur zu beschreiben und zu beherrschen. Der Mensch wurde sich und der Natur gegenüber kritisch. Doch der Mensch, der nicht mehr *in* der Natur steht, sondern *gegenüber* der Natur, steht auch *gegenüber* der Politik und nicht mehr *in* der Politik."[184] Dürrenmatt beharrt wieder auf dem „dramaturgischen" Denken; er lehnt nicht nur den Primat der Politik ab, sondern er setzt auch ausdrücklich den Fortschritt der Kunst parallel zum Fortschritt der Naturwissenschaft. Die eigentliche Geschichte vollzieht sich so nicht in der Politik, in der Gesellschaft, sondern in den Naturwissenschaften, deren Auswirkungen auf die Politik erst deren Geschichte konstituieren; und Aufgabe der Kunst wird es entsprechend, durch bewußte Fiktionen die Politik zu entmyhologisieren, und das heißt zu entideologisieren. Einer Zeit, die bewußt sich der Politik verschreibt und alles als politisch vermittelt betrachtet, stellt Dürrenmatt sein Verständnis von Politik gegenüber, das gerade darin besteht, sich von ihr zu distanzieren, wenigstens in der Kunst.

Die Entmythologisierung der Politik setzt Dürrenmatt in seinen (bisher) letzten Stücken fort; er erlangt damit freilich immer weniger das Verständnis seiner Zeitgenossen. Seit 1969 arbeitet er bereits an seinem Stück ‚Portrait eines Planeten‘, dessen Fertigstellung wegen der Theaterarbeit in Basel, die sich immer problematischer gestaltet, und wegen einer schweren Erkrankung 1969 immer wieder verzögert wird. Erst Ende 1970 kommt das Stück in Düsseldorf auf die Bühne. Es ist das letzte, das Dürrenmatt bisher publiziert hat.

Statt des üblich gewordenen Nachworts stellt Dürrenmatt der Buchausgabe des Stücks von 1971 ein Vorwort über die Unwahrscheinlichkeit der irdischen Wirklichkeit voran; mit Hilfe der Wahrscheinlichkeitsrechnung wird – nach dem Vorbild des ‚Versprechens‘ – der unwahrscheinliche Glücksfall der Erde vorgerechnet: die „Erde war eine Chance", wie das Stück es formuliert. Die irdisch-historischen Bezüge scheinen nun endgültig verlassen zu sein, sieht das Stück doch auf die Erde aus kosmischen Dimensionen, verkörpert durch vier Götter, die auf die Erde herabblicken und ihr Ende miterleben: die Sonne ist eine Supernova (sie wird immer heißer und zerplatzt schließlich) geworden, und das menschliche Leben wird allmählich vernichtet, weil die Lebensbedingungen, die glücklichen, nicht mehr gegeben sind. Das irdische Endstadium verfolgt das Stück, die Perspektive verengend, auf die Erde zurückkehrend, durch ,,ein unzulängliches Sammelsurium kabarettistisch angelegter Szenen'', wie ein Kritiker sich auszudrücken beliebt hat.[185] Es sind 25 solcher Szenen mit den Themen: Entwicklungshilfe, Vietnam-Krieg, Rassenhaß, Raumfahrt, Generationskonflikt, Flower-Power-Bewegung etc. Es gibt keine durchgehende Handlung, obwohl einige der Szenen miteinander verknüpft sind und ein konstantes Personal von vier weiblichen und vier männlichen Darstellern und die Untergangsstimmung einen weiteren Zusammenhalt der Szenen verbürgt. Szenenverknüpfungen zeigen sich beim Thema ,,Wohlstandsgesellschaft'', besonders aber beim Thema ,,Krieg'': nicht nur wird der Irrsinn der diplomatischen Verhandlungen vorgeführt (Vorbild der Verhandlungen um die Beendigung des Vietnam-Kriegs, die ja bekanntlich mit zwei Friedensnobelpreisen geendet haben, nur nicht mit dem Ende des Kriegs) – ,,Beinahe wären wir uns heute über die Sitzordnung einig geworden''[186] –, vielmehr werden auch die Opfer auf die Bühne gebracht. Die Kritik hat Dürrenmatt fast zynische Abstraktheit im Ablauf seiner Szenen vorgeworfen. Sie seien nur unverbindliche Demonstrationen vor einem universalen Maßstab, und die Figuren bloß Schemen, stellvertretend für die Menschheit an sich, global, aber belanglos. Obwohl Dürrenmatt durchaus in diese Richtung arbeitet und in den Figuren, die bezeichnenderweise die Namen Adam, Kain, Abel, Henoch, Eva, Ada, Zilla, Naema tragen, also Präfigurationen der Menschheit sind, alttestamentarische Vorentwürfe, die ihrem Ende, der Apokalypse, entgegengehen, obwohl er also die Abstraktheit geradezu zur Voraussetzung des Stücks macht, so hat doch die Handlung die Tendenz, Personen und Gesellschaftsdarstellung aus der Wirklichkeit des Westens zu entnehmen und so die implizierte Kritik, oder besser „Entideologisierung", auf die westliche Gesellschaft zu fixieren: die Mondfahrer sind ebenso Amerikaner wie der Präsident, der sich wie ein Berserker aufführt (Nixon?), der Rassenhaß in New York erscheint geradezu als Pendant zur Vietnampolitik (auch dieser Krieg ist identifizierbar), und das mißlungene Attentat auf die Botschafter der befreundeten Nation erinnert mehr an die bewußten Manipulationen der USA im Zusammenhang mit dem Vietnam-Krieg als an sowjetische Machenschaften. Auch die Personen, die sich in zwei Schlüsselszenen des Stückes sozusagen als typische Vertreter der Menschheit vorstellen, sind in der westlichen Gesellschaft angesiedelt: die Arbeitertochter aus der Schweiz, die sinnlos Kinder gebar, die bürgerliche Hure, „sparsam und ordentlich", die Krankenschwester, die im Menschen nur „Futter für den Tod" sieht, die Gräfin, die nichts weiter tut, als alt zu werden, der Sozialist, der die sozialen Errungenschaften durch die Sinnlosigkeit der Freizeit korrumpiert sieht, der Wissenschaftler, der die Weltformel sucht, aber feststellen muß, daß die Computer „eine Formel von sich gaben, die nur noch die Computer begriffen", der Maler, der nur noch leere Rahmen, am Ende gar nichts mehr ausstellt, und schließlich der KZ-Scherge, der meint, die Liebe zu seinen Blumen sei ein Beweis für seine Humanität: der Faschismus im kleinbürgerlichen Gewande, der deutsche Gartenzwerg. Es gibt keinen Kosmonauten, keinen alternden Parteisekretär, keine kommunistische Krankenschwester, keinen LPG-Bauern als Pendant; und das ist bei Dürrenmatt immerhin bemerkenswert (ebenso bemerkenswert, wie der ‚Sturz' auf den Osten fixiert gewesen ist). Es ließe sich darin eine entschiedene Kritik an der spätkapitalistischen Gesellschaft des Westens erblicken, wenn sie nicht weitgehend durch die universale Perspektive wieder zurückgenommen würde.

Die Beziehungen zu Becketts Endspielen, die Dürrenmatt schon im Nachwort zu ‚Play Strindberg' angesprochen hat (wie die zu Ionesco), ist evident; Dürrenmatts Dramaturgie der schlimmst möglichen Wendung mündet ein in die Dramaturgie der Endspieler des absurden Theaters der Zeit, von denen Marxisten mutmaßen, sie gestalteten subjektiv bloß den objektiven Verdruß an der spätbürgerlichen Gesellschaft, ihre verspätete Unzeitgemäßheit – mit viel bedeutsamem Schweigen. Dürrenmatts Endspiel freilich ist nicht subjektiv, nicht beschränkt auf die beschränkte Perspektive der zerhackten und eingebuddelten Helden, die nach dem ,,Bloß alles" suchen. Dürrenmatt beharrt auf der Distanz, gemäß seiner Prämisse, die Entmythologisierung habe ihrem Gegenstand gegenüberzutreten. Das wird ganz deutlich in der ,zitierenden' Übernahme des Malers aus Becketts ,Endspiel'; bei Beckett ist der Maler ein Verrückter, weil er, als die anderen sich noch normal wähnen, statt der Schönheit der Welt nur ihre Asche sieht, also das Ende subjektiv vorausnimmt und daher nichts mehr malen kann; bei Dürrenmatt dagegen handelt es sich um einen Maler, der der Gesellschaft den Spiegel vorhält, indem er ihr leere Bilder, Rahmen nur anbietet und damit einen ungeheuren Erfolg hat; erst als er sich entschließt, auch die Rahmen wegzulassen ,,kaufte mir niemand meine Bilder mehr ab", und dabei hatte er nur (wie Dürrenmatt) die Konsequenzen aus seiner abstrakten Malerei gezogen. Hier also ist die Leere objektiv, insofern sie die Leere der Gesellschaft ist, die sich erst gegen den Maler wehrt, als er ihr die Konsequenz ihrer Anschauungen deutlich macht.

Dürrenmatt führt die Welt vor, als eine Chance, die vertan wird; das scheint das letzte Wort zu sein. Doch weist das Stück eine Szene auf, die merkwürdig konkret ist und in die Zukunft vorausweisen könnte. Ein Vater, gut bürgerlich, entsetzt über die moderne Jugend, möchte seine Tochter aus einer Kommune wieder in die bürgerliche Wohlanständigkeit zurückholen. Die Tochter erwartet ein Kind, weiß nicht, wer der Vater ist, und sie interessiert sich auch nicht dafür; sie sagt zum Vater: ,,An euren Klamotten klebt unsichtbares Blut. Unsere sind bloß dreckig. Ihr predigt die Liebe, wir leben nach der Liebe; das ist der ganze Unterschied. Zweitausend Jahre habt ihr eure Chance gehabt, und nun haben wir unsere Chance. Kapiert?"[187] Make love, not war; es scheint doch noch eine Chance zu geben; und zwar dann, wenn der Zusammenhang von Bürgerlichkeit, Wohlanständigkeit und Faschismus, auf den die Tochter unmißverständlich anspielt, gesehen und durch das Leben in Liebe überwunden wird. Das wäre eine irdische und in Dürrenmatts Sinn christliche Lösung der Konflikte, die als Alternative immerhin wenigstens anklingt. Sie bleibt aber Utopie. Der Gott Adam sagt am Ende: ,,Hops ging sie ohnehin", und er wirft den liegengebliebenen Patronengürtel in den Vordergrund der Bühne: auch ohne die kosmische Katastrophe ginge sie hops, die Menschen sorgten selbst dafür.

Für Basel war das Stück geplant, die Uraufführung findet jedoch in Düsseldorf statt. Mit dem Beginn der Spielzeit 1969/70 geht die Basler dramaturgische Arbeit Dürrenmatts ihrem Ende entgegen; die Zusammenarbeit mit Düggelin zerbricht. Dürrenmatt hat die ,Minna von Barnhelm' Lessings bearbeitet, deren gesellschaftskritischer Gehalt entschieden herausgearbeitet wird, mit der Absicht, die ursprüngliche Frechheit der Klassiker wiederherzustellen; Düggelin will aber nichts davon wissen. Als schließlich die geplante ,Mississippi'-Aufführung nicht die Besetzung erhält, die Dürrenmatt wünscht, zieht dieser sich erbost und laut protestierend zurück; er sei ein Narr gewesen, habe sich kaputt gemacht für nichts und wieder nichts. Während Düggelin mit seiner Mannschaft erfolgreich weiterarbeitet, wendet sich Dürrenmatt zunächst von den Schweizer Theatern ab, um dann (und vorläufig endgültig) nach Zürich, dem ,,theatralischen" Ausgangspunkt, zurückzukehren.[188]

Im Oktober 1969 erhält der Stückeschreiber den Großen Literaturpreis des Kantons Bern im Stadttheater von Bern. Leicht pikiert notiert Hans Bänziger, daß das Publikum ,,mit einer bemerkenswerten Vertretung der Apo"[189] angereichert gewesen sei und daß es geheißen habe, die ,,Beatrockers und Apo-Leute sollen die Veranstaltung mehr goutiert haben als die Behördemitglieder". Dürrenmatts Rede ,Für eine neue Kulturpolitik' war allerdings für die ,Behördemitglieder' nicht zum Lachen, sagt doch Dürrenmatt gleich, der Preis sei bloß dazu da, ihn als Dichter öffentlich hinzurichten, ihn als Konformisten einer korrupten, kleinbürgerlichen Gesellschaft zu zeigen; er halte es mehr mit Lessing und dem totgeschwiegenen Berner Schriftsteller Samuel Henzi, der in der Aufklärung ein Symbol gegen die Tyrannenherrschaft geworden war. Ausdrücklich verwirft er die Schiller-Tell-Tradition der Schweiz und setzt an ihre Stelle Lessing, den Aufklärer, und Samuel Henzi, den Revolutionär, und er betont, ,,daß es bei uns nicht nur Freiheitshelden gab, die gegen Ausländer kämpften, sondern auch Unterdrückte, die von Schweizern unterdrückt, ja vernichtet wurden". [190] Das ist nicht nur ein Bekenntnis zum unterdrückten Volk, sondern auch eine unüberhörbare Stellungnahme zu einem Schweizer Politikum der Zeit (weniger ein Hinweis auf ,Tell'), nämlich zu der Frage der sogenannten Überfremdung, die mit dem wirtschaftlichen Aufschwung einhergegangen war (Gastarbeiter). Durch die ,Nationale Aktion' des Biedermannes James Schwarzenbach war immer wieder versucht worden, die Fremden, die man gerufen hatte, aus dem Land zu komplimentieren. Die Gegner der Aktion, zu denen auch Dürrenmatt gehört, sehen darin nicht nur eine Aufgabe aller freiheitlichen Prinzipien, auf die die Schweiz so stolz ist und deren Ideologiecharakter immer deutlicher wird, sondern auch die Gefahr, daß die großen Konzerne die Macht endgültig und mit entschiedener Gefährdung der Demokratie im Land übernehmen. [191] Mit diesen Hinweisen und Anspielungen wird die Berner Rede ein Politikum, das in der Biographie Dürrenmatts ohne Beispiel ist und zeigt, wie gefährlich es ist, ihn vorschnell festzulegen. Aber damit nicht genug: Dürrenmatt benutzt die Preisverleihung auch dazu, selbst Preise zu verleihen, indem er die ihm vermachten 15000 Franken gleich weitergibt, an den Schriftsteller Sergius Golowin, der die inoffizielle Geschichte der Schweiz erforscht hat, an den Journalisten Ignaz Vogel, weil er die Zeitschrift ,Neutralität' redigiert hat, die die Schweiz ,,nicht als Ausrede, sondern ernst" nimmt, [192] und an den Berner Großrat Arthur Vogel, der die Idee des zivilen Ersatzdienstes politisch verfochten hat. Das bedeutet eine offene

133

Brüskierung der Berner Gesellschaft, die dadurch nicht weniger pikant wird, daß Ignaz Vogel über den Vorgang spottet: ,,Ehre wollte die angesehene Republik Friedrich Dürrenmatt geben, Ehre einem, dem Achtung gebührt, aber nicht von einem solchen Staat. – Nicht von einem solchen Staat, der mit Steuergeldern Mord, Rufmord organisiert, an unbescholtenen Bürgern, die so denken, wie man nicht denken soll. Aber wer bestimmt denn in einer Demokratie, wie man denken soll, die Regierung etwa? – [. . .] Friedrich Dürrenmatt hätte zur Stütze des Staates werden sollen, Ehre, wem Ehre gebührt, undsoweiter undsofort . . . – Er hat die Suppe versalzen, die Staats-Propaganda-Aktion war zum Teufel, er hat den Preis [. . .] weitergegeben (und wir werden ihn mit unserer Arbeit auch weitergeben).‘‘[193] Dürrenmatt läßt sich schwer auf die Formel festlegen, nach der er die ,,Doktrin einer sinnlosen Schöpfung [verkünde], deren einziges positives Gegengewicht die Anrufung eines möglicherweise doch vorhandenen Schöpfers und die Verwirklichung menschlicher Kommunikation in der Liebe ist‘‘.[194] Es stimmt nicht, wenn Hans Bänziger die Summe zieht: ,,An Friedenskongressen hielt er sich nie auf; am verhinderten Basler Kongreß gegen die atomare Aufrüstung vom Juli 1958 hat Frisch bezeichnenderweise teilnehmen wollen, Dürrenmatt nicht. Er mißtraut jeder Ideologie, auch der aktuellsten und interessantesten. Das ist nichts andereres als Konservativismus.‘‘[195] Und 1969 in Bern? Und die Gesellschaftskritik im ,Portrait‘, das ,Festspiel‘ des Herkules gegen die Schweizer Gesellschaft, die sehr wohl verstanden hat und deshalb das Stück durchfallen ließ?

Auch im 1969 publizierten ,Monstervortrag über Gerechtigkeit und Recht‘, der während der Studentenbewegung, als sich viele Schriftsteller engagiert haben (Frisch redete in München, Martin Sperr stellte sich in Berlin dem kritischen Publikum, Peter Handke benutzte eine Preisverleihung, um das Kurras-Urteil in Berlin anzugreifen)[196], im Januar 1968 in Mainz vorgetragen worden ist, wird die aktuelle Politik in die ansonsten sehr abstrakten Überlegungen um Wölfe und Schafe einbezogen; im ,Helvetischen Zwischenspiel‘ geißelt Dürrenmatt die im Zivilverteidigungsbuch von 1969 niedergelegte „geistige Landesverteidigung": das Eidgenössische Justiz- und Polizeidepartment fordert dort seine Bürger auf, sich auch geistig am Vaterland zu beteiligen. Dürrenmatt stellt das Vaterland im Jargon des Monstervortrags als Wolf dar, der sich als Lamm maskiert, ein Wolf, der an „die Menschlichkeit der Wölfe appelliert, sich ihnen nützlich zu machen versucht und die Nachtapotheke des Roten Kreuzes unterhält".[197] Aufgerufen werde nicht zur „Verteidigung" der Schweiz, sondern bloß zu der ihres Kapitalismus; die Konsequenz des Regierungsbüchleins sei die Abschaffung der Demokratie, geistige Landesverteidigung als vorweggenommener Totalitarismus (Dürrenmatt nennt es vornehmer: „Staatsreligion"). An ‚Geist' und Sprache des Zivilverteidigungsbuches geht 1970 der Schweizer Schriftsteller-Verein kaputt. Bichsel, Diggelmann, Marti, Hohl, Frisch, Dürrenmatt – im ganzen 22 Schweizer Schriftsteller verlassen den Verein, weil sein Präsident Maurice Zermatten das Büchlein in einer französischen Fassung noch mehr „ideologisiert" hat. Die 22 formulieren: „Wir glauben [...], die Situation in unserem Lande (Gesamtverteidigung, Schwarzenbach-Initiative usw.) verlange die aktive Teilnahme der Schriftsteller. Auch auf internationaler Ebene waren Arbeiter, Intellektuelle und Schriftsteller an den Befreiungsbewegungen der letzten Jahre (z. B. in Polen, Griechenland, in der Tschechoslowakei, in Brasilien) beteiligt. Gerade gegen diese Gruppen wird im Zivilverteidigungsbuch Mißtrauen gesät."[198] Diesmal ist auch Dürrenmatt dabei.

1969 schließt Dürrenmatt dann auch seine vorzeitig abgebrochenen ‚philologischen Studien' ab, und zwar in den USA, an der Temple Universität Philadelphia mit dem D. Litt. (Doctor of Literature), ehrenhalber versteht sich. Der Autor wird als einer der „größten lebenden Dramatiker" gewürdigt, „der Dramen schrieb, die in unserer verwirrten und aufregenden Epoche politisch und sozial relevant sind".[199] Sollten die anderen ihn besser verstanden haben?

Und ab 1969 geht Dürrenmatt bis 1971 noch dem Beruf eines Journalisten nach, als Mitherausgeber des Zürcher ‚Sonntags-

Journal', das Rolf R. Bigler, Markus Kutter und J. R. von Salis 1969 übernehmen (vorher: ‚Zürcher Woche‘). Das Blatt ist für Dürrenmatt Forum für seine kulturpolitischen und politischen Äußerungen. 1970 beschreibt er dort auch seine Amerika-Reise, die er mit seiner Frau im Anschluß an die Verleihung der Ehrendoktorwürde unternommen hat. Trotz des Versuchs eines kritischen politischen Kommentars, das unmittelbare Engagement fortsetzend, setzt der Bericht im ganzen doch die Tradition des Denkens in großen Gegensätzen – USA hier, UdSSR dort – fort. Stehen zu Beginn des Berichts noch einige konkrete, freilich bekannte Einzelheiten (z. T. nur vermittelte Erfahrungen, keine unmittelbaren) über Kriminalität, Verkehr in New York, Randnotizen zum Besuch einer Rednerschule oder zu Billy Graham, dem Gottesverbreiter, so geht er doch bald über in große Sätze, keine Sätze aus Amerika mehr, sondern Sätze vom Mond: ,,Die Vereinigten Staaten denken wirtschaftlich. Darum haben sie Mühe, machtpolitisch zu denken; die Sowjetunion denkt machtpolitisch. Darum denkt sie unwirtschaftlich.‘‘[200] Da ist sie wieder die Rhetorik, der Glanz der Gegensätze; aus welcher konkreten Erfahrung sie gespeist sind, erfährt der Leser nicht; was Dürrenmatt schreibt, sind tatsächlich nur Sätze, Sätze aus Amerika, aber keine Anschauungen der konkreten Wirklichkeit, wie sie etwa Jörg Federspiel, ein anderer Schweizer Autor, 1968 beschrieben hat, New York als ‚Museum des Hasses‘ vorstellend: ,,Absicht des Museums besteht immer darin, zu bewältigen und vergessen zu lassen, was noch nicht bewältigt oder vergessen wurde. Das Museum ist die Lahmlegung der Trauer, denn Trauer ist das Schlimmste, und das Museum hebt die peinliche Spannung zwischen Leben und Vergehen auf. – Nachdem man die Natur verwüstet hat, drängt sich die museale Verwirklichung der Natur unerbittlich auf.‘‘ Wenn 1975 ein Mann aus New York sagt, die Stadt sehe inzwischen so aus wie das ausgebombte Berlin vor dreißig Jahren, und der Bürgermeister kümmre sich um die ganze Welt, sei aber nicht in der Lage, für die eigenen Leute zu sorgen, so erscheint das nur als Konsequenz einer Haltung, die Federspiel 1968 z. B. folgendermaßen zur Anschauung bringt: ,,Immer dieses Bild in dieser ärmlichen Gegend [Riverside Drive]: Alte Männer und Frauen, die plötzlich umfallen. Leute herum, Fragen: Ist sie tot? Einer nickt. Man geht weiter. – Heute am Broadway an der 87. Straße: Ein alter Mann. Blut quillt aus dem Mund, eine Frau hat ihm einen Bleistift zwischen die Zähne geklemmt, doch das Blut fließt weiter, natürlich. Was hat er? Der Bursche neben mir zuckt die Schultern. Blutsturz, sagt er, vermutlich. – Es ist kein alltägliches Bild. Man kann es alle drei Tage sehen. – Ein dreitägliches Bild.''[200a] Diese Bilder, konkrete Anschauungen, vermißt man bei Dürrenmatt. Hat er damals, 1969/70, davon nichts bemerken können?

Nach der gescheiterten dramaturgischen Arbeit in Basel setzt Dürrenmatt seine Theaterarbeit in Zürich fort. 1970 erarbeitet er eine ,,Szenische Fassung'' von Goethes ‚Urfaust' ,,ergänzt durch das Buch von Doktor Faustus aus dem Jahre 1589'', und setzt damit eine lange Tradition fort. Dürrenmatt sucht nicht – wie etwa Brecht, der den Urfaust 1952 inszeniert, oder Hanns Eisler, der 1952/53 ein Opernlibretto geschrieben hat – die Aktualität, sondern den historischen Standort der Figur, indem er die ,,Frechheiten und Fragwürdigkeiten'' des Klassikers wiederherstellt.[201] Faust wird in zweierlei Sinn wieder alt: die Verjüngungskur bleibt aus, und das Volksbuch liefert den historischen Rahmen. So beginnt der ‚Faust' auch mit dem Beginn des Volksbuchs, mit dem Bauern-Sohn, der 1491 geboren worden ist und sich nach dem Studium der Medizin, Mathematik und Astrologie der Magie ergeben hat; das Volksbuch ergänzt da, wo der Goethesche ‚Faust' Lücken aufweist (z. B. den Pakt), und es bringt zugleich ein episches Element in die dramatische Handlung, indem es den erzählenden Kommentar zum Stück liefert. Neben vielen dramaturgischen Gags (so wird Mephisto als Sezierleiche eingeführt, an der Faust, den berühmten Eingangsmonolog sprechend, herumschnippelt) versucht die Neufassung, die historische Situation mit Hilfe des Faust-Buchs deutlicher zu akzentuieren, wobei vor allem die Rolle der Kirche im Fall des Kindsmords betont wird. So treten Bischof und Kardinal schon leitmotivisch in Auerbachs Keller auf, indem sie als geifernde und lästernde Mitsäufer das Heilige Römische Reich verkörpern, und vor allem erscheint die Hinrichtung Gretchens – das Fallbeil fällt – als Akt der Kirche. Entscheidender als das aber ist die Neufassung der Faust-Figur. Dürrenmatt besteht nicht nur darauf, daß Faust auch bei Goethe schon ein alter Knacker sei (die Goethe-Forschung ist da ganz anderer Meinung)[202], er treibt ihm vor allem auch das typisch Faustische aus: das immerwährende, nie erlahmende Streben. Goethe habe im ,Urfaust' darstellen wollen, wie ,,ein alter Mann ein junges Mädchen verführt und im Stich läßt''.[203] Damit aber schreibt Dürrenmatt sowohl gegen Goethe an als auch gegen das Faust-Buch, das doch zunächst als Unterstützung der dürrenmattschen Tendenz erscheint; in der 3. Szene läßt er das Faust-Motiv des Volksbuchs bewußt aus und zitiert nur noch die jetzt vage Formulierung, das ,,Datum'' des D. Faustus, sein Streben, gehe dahin, ,,das zu lieben, was nicht zu lieben war'', bestrebt, alles außer der Liebesthematik zu tilgen; so das faustische Streben nach Erkenntnis, das der unmittelbar folgende Satz formuliert: ,,dem trachtet er Tag und Nacht nach, nahm Adlers Flügel, wollte alle Gründ am Himmel und Erden erforschen''[204]; und in der Textstelle des Pakts macht Dürrenmatt einen Zusatz, der sich im Faust-Buch nicht findet: dort heißt es, nachdem Faust sich vorgenommen habe, ,,die Elemente zu spekulieren'' (also mehr Erkenntnis der Welt zu gewinnen), solle sich Mephisto nun dafür verbürgen, ,,mir in allem untertänig und gehorsam zu sein und mir zu geben, was dem Menschen zukommt'' – und an dieser Stelle setzt Dürrenmatt einen Doppelpunkt und fährt fort: ,,Reichtum und Lust des Leibes''[205] und verändert damit die ganze Stelle in seinem Sinn.

Dürrenmatts Änderungen stellen eine ungeheure Reduktion des Stoffes dar, der nicht, wie Eislers und Brechts Versuche, als zeitgenössische Umdeutung zu werten ist, als aktuelle Korrektur des bürgerlich hochfahrenden Geistes, sondern bloß als Austrocknung unter dem Thema ,Greis und Gretgen'. Klar wird nicht mehr, was die ganze Fülle von Wissenschaft, Universität noch soll, welchen Sinn Faust, außer daß er Gretchen verführt und Erzeuger des verhängnisvollen Kindes ist, noch hat.

Während der ‚Urfaust‘ mit zweifelhaftem Erfolg im Oktober in Zürich auf die Bühne kommt, setzt das Düsseldorfer Schauspielhaus sein Dürrenmatt-Jahr mit der Uraufführung des ‚Titus Andronicus‘ fort (Dezember 1970). Das Stück schließt insofern an die Bemühungen um Goethes Jugendwerk an, als Dürrenmatt im ‚Titus‘ das Urstück Shakespeares sieht, das sich zum übrigen Werk verhalte wie bei Goethe ‚Urfaust‘ und ‚Faust‘. Das Stück ist ein blutrünstiges Rachedrama, das Greueltat an Greueltat reiht. Titus Andronicus ist ein erfolgreicher römischer Feldherr (ein historisches Vorbild existiert offenbar nicht), der nach siegreichem Feldzug gegen die Goten nach Rom zurückkehrt und die gotische Königin Tamora, ihre Söhne und einen Neger als Gefangene mit sich führt. Da die Schlacht das Leben eines von Titus‘ Söhnen erfordert hat, beginnt das Spiel gleich erst einmal damit, daß Titus zum Ausgleich einen Sohn der Tamora schlachtet. Titus ist, als erneuter Sieger, auf der Höhe seiner Macht, und er setzt auf Saturninus, der sich mit seinem Bruder Bassianus um den vakanten römischen Thron balgt, weil letzterer beim Volk zu beliebt ist, als daß er ein gefügiges Werkzeug in seinen Händen sein könnte. Obwohl Bassian vom verstorbenen Kaiser designiert worden ist, setzt Titus den grobschlächtigen Saturnin auf den Thron und drängt ihm seine Tochter Lavinia, die mit Bassian verlobt ist, als Frau auf. Bassian aber vermag mit Lavinia zu entfliehen, wobei ein weiterer Sohn des Titus, Mutius, sich der Verfolgung widersetzt und sich den Verfolgern in den Weg stellt. Titus, empört ob solchen Ungehorsams, haut gleich auch noch seinen Sohn nieder, weil er „dem Recht im Wege“ stehe. Saturnin indessen zieht die handfestere Gotin vor und erhebt sie kurzerhand zur Kaiserin. Tamora, die Barbarin, erscheint zunächst den Römern Menschenwürde demonstrieren zu wollen, als sie für die wiedereingefangenen Bassian und Lavinia um Gnade bittet. Aber in der anschließenden Brautnacht geht es erst richtig los. Saturnin ist zu betrunken, um seinen Ehepflichten nachkommen zu können, Tamora hält sich am Neger zugute, wird dabei aber von Lavinia und Bassian überrascht. Damit Tamoras Ehebruch nicht entdeckt wird, töten die Söhne der Tamora Bassian, schänden Lavinia und schneiden ihr dann Zunge und Hände ab, damit sie die Mörder nicht entlarven kann. Dafür werden die übriggebliebenen Söhne des Titus, aufgrund falscher Aussage von Tamora, für den Mord an Bassian haftbar gemacht. Saturnin spiegelt Titus vor, er könne die Söhne befreien, wenn er sich einen Arm abhacke, gesagt, getan: doch Saturnin schickt die Köpfe der Söhne mit der abgeschlagenen Hand zurück. Lavinia deckt doch noch die Namen der Mörder auf, indem sie sie mit einem Stock, von den Stümpfen gehalten, in den Sand schreibt, und nun beginnt des Titus Rache; scheinbar ein Narr, sammelt er in Rom die Kriegsinvaliden um sich, täuscht Tamora, lockt ihre Söhne in sein Haus, bringt sie um, verarbeitet sie zu einem Gastmahl für Kaiser und Kaiserin; als das Kaiserpaar die Söhne vertilgt hat, entdeckt Titus den Frevel, ersticht seine (überflüssig gewordene) Tochter und anschließend Tamora; Saturnin erdolcht den Titus und der letzte Titus-Sohn den Saturnin. Hier ist bei Shakespeare Schluß; denn Lucius wird Kaiser. Doch bei Dürrenmatt siegt am Ende die neu hinzugefügte Person des Alarich: dieser läßt auch Lucius beseitigen und legt Rom in Asche. Das Reich ist erledigt: Endspiel.

Die Düsseldorfer Aufführung – von einem Rezensenten ,,Grusical" genannt[206] – wird ein weiterer Theaterskandal; das Haus entleert sich während der Vorstellung so, wie auf der Bühne die Figuren dezimiert werden; aus dem Parkett tönt der Ruf: ,,Nieder mit Dürrenmatt". Die kommentarlose, unverblümte und unverbrämte Direktheit, mit der ein Mensch nach dem anderen geschlachtet und verstümmelt wird, scheucht das Publikum auf, das gewöhnt ist, dem realen Geschehen auf dem Bildschirm in ruhiger und unerschütterter Heimeligkeit zu folgen. Dürrenmatts Verkürzung des shakespearschen Spiels, das übrigens immer wieder als ,,Possenspiel" ausdrücklich apostrophiert wird, verbunden mit der Verknappung der Sprache, läßt im Stück eine andere Tendenz der Stichwortdramatik deutlich werden: das Interesse wird daran gehindert, noch den Menschen zu folgen, jegliche Identifikation ist unmöglich, die Menschen erscheinen als Sachen, die zu jedem beliebigen Zweck vernichtbar sind, und auch die Opfer zu bedauern bleibt keine Zeit, weil schon das nächste an die Reihe kommt. Aber indem Dürrenmatt diese Unerbittlichkeit vorführt, kommt doch eine Ahnung auf von der Unerbittlichkeit der realen Welt, die auf dem Bildschirm erscheint, als sei sie Theater: Entmythologisierung der Politik durch Reduktion des realen Geschehens auf seine inhumanen Abläufe, die nicht mehr von beschönigenden Worten der Politiker verbrämt werden, von Staatstrauerakten, von wortreichen Rechtfertigungen. Dürrenmatts Publikum in Düsseldorf kehrt pervers das fiktionale Modell um: was es in der Wirklichkeit aushält, hinnimmt, unerschüttert, nimmt es der Fiktion übel. Es besteht darauf, daß sein Wille zur Fiktion ernst genommen wird. Dürrenmatt aber entweiht die Bildungsstätte, den Musentempel, und erklärt dann auch noch, es sei alles bloß Theater, Komödie.

Jedoch bleibt die Darstellung zweideutig; hat sie einerseits den „bürgerschrecklichen" Charakter und den zweifellos zeitgenössisch entlarvenden Bezug, so bleibt das Spiel in seiner Konsequenz doch nur das in sich rotierende Possenspiel, das Welttheater, wie es das barocke Symbol der Unbeständigkeit im Stück faßt: „Vom Himmel stieg Gerechtigkeit und ward / Zur Rache, die Gerechtigkeit verlangte, / Die wieder nach der Rache schrie; und so / Die eine stets die andre gebärend, / Geht's weiter im stupiden Lauf der Zeit"[207], bis die Welt, wäre zu ergänzen, an sich selbst zugrunde geht. Dürrenmatt schreibt: „Aus einem Spiel innerhalb einer veralteten Gesellschaftsordnung ist bei mir ein Endspiel mit einer veralteten Gesellschaft geworden"[208]; also doch Beckett?

1972 inszeniert Dürrenmatt in Zürich Büchners ‚Woyzeck', eine Tatsache, die in dieser Zeit wohl nicht ganz zufällig ist, sieht er doch bei Büchner die Tendenz, die sein Theater eingeschlagen hat, bestätigt: Woyzeck „verschweigt das meiste, er ist überhaupt fast sprachunfähig, er gibt nur einige Brocken von sich

[...] Der Mensch auf der Bühne braucht da nur wenig zu reden, braucht nur anzudeuten.“[209] Diese Möglichkeit verwirklicht auch das bis jetzt letzte Stück des Autors, ‚Der Mitmacher‘. Obwohl das Stück 1972 geschrieben und Anfang 1973 uraufgeführt worden ist, liegt das Textbuch bis heute noch nicht vor. Im Frühjahr 1976 soll es zusammen mit einem umfangreichen „Nachwort“, betitelt ‚Philosophie eines Stücks‘, endlich erscheinen.

Der ‚Mitmacher‘ wird im März 1973 in Zürich uraufgeführt. Der berühmte polnische Regisseur Andrzej Wajda (‚Asche und Diamant‘) hat Regie geführt, doch da Dürrenmatt während der Arbeiten so oft und wohl auch entschieden eingegriffen hat, distanziert sich Wajda vor der Premiere von dieser Inszenierung (die am Ende weder seinen noch Dürrenmatts Vorstellungen entspricht). Und so ist die Ausgangssituation schon denkbar schlecht: die Kritik reagiert schnell und vernichtend, und diesmal sind sich alle einig, einschließlich der Schweizer: „Alles Leben ist spurlos verschwunden“, „Aufguß einer vorhanden gewesenen Dramatik“, „blasser Schatten dessen, was dieser Dramatiker vor Zeiten zu leisten vermochte“.[210]

Auch wenn man das Stück nicht theatralisch ‚retten‘ will, so kann man eine Diskrepanz in der Kritik kaum übersehen: sie tadelt an Dürrenmatt heftig das, was zu gleicher Zeit an Ionesco, Beckett und neuerdings besonders an Thomas Bernhard gelobt wird. Bernhards Drei-Stunden-Edelschmarren ‚Das Konzert‘, das seine Bedeutung fast nur durch die Pausen erhält, in denen der Kritik offenbar Bedeutsames aufstieß, soll das große Ereignis in der Spielzeit 1972/73 gewesen sein. Damit kann der ‚Mitmacher‘ (auch dramatisch) allemal mithalten; freilich fehlt ihm die metaphysische Dimension, deren sich Dürrenmatt im Laufe seines Schreibens entledigt hat, die aber nun wieder gefragt zu sein scheint. Dennoch ist wohl kaum daran zu zweifeln, daß die großen Dramatiker der 50er und 60er Jahre, eben die ‚Klassiker der Moderne‘, nicht mehr die zeitgenössische Szene beherrschen – es sei denn, der Bernhard-Trend setzte sich nachhaltig durch. Ionescos ‚Macbett‘ setzte ebensowenig mehr Akzente, wie es

Frisch, Beckett oder Dürrenmatt mit ihren jüngsten Stücken vermochten. Sie fallen allmählich durch Selbstwiederholungen auf, den Variationen ihrer Endspiele, die sich nur bedingt auf die konkrete, faßbare Wirklichkeit einlassen, und sie können nicht mehr immer damit rechnen, daß in den langen Pausen Zuschauer und Kritiker wach bleiben, um das Schweigen durch bedeutsame Worte aufzupolieren, oder daß die Spielereien, das Versichern, es sei ja *alles* nur Theater, noch jemanden erregte. Ist es Zufall, daß Beckett seine alten Stücke neu inszeniert (‚Warten auf Godot‘) oder daß Dürrenmatt sich in den letzten Jahren der Theaterarbeit so entschieden widmet, daß das schriftstellerische Werk zu kurz kommt? Offenbar ist eine Neuorientierung vonnöten.

Der ‚Mitmacher‘ greift wieder auf die Thematik des konformistischen Intellektuellen zurück. Doc, Universitätsbiologe, wechselt des besseren Geldverdienstes wegen und in der Aussicht auf freie Forschung in die Industrie über, wird aber bei einer Wirtschaftskrise gefeuert – weil „freie“ Forschung nun zu teuer wird –, und er muß sich als Taxifahrer verdingen. Bei dieser Gelegenheit lernt er Boß kennen, den König der Unterwelt, der einen Leichenberg hortet und nach dessen Beseitigung sucht. Doc weiß Rat, hat er doch die sogenannte Nekrodialyse erfunden, ein Verfahren, mit dessen Hilfe sich Leichen in ihre natürlichen Bestandteile verflüssigen lassen. Er tritt dem Unternehmen bei und dient im 5. Untergeschoß eines Hauses der emsigen Produktion: er macht mit. Der Polizeichef Cop spürt das Unternehmen auf – er hat eine alte Rechnung mit Boß zu begleichen –, erpreßt eine 50-Prozent-Beteiligung, während gleichzeitig die von ihm gesammelten Unterlagen, die eigentlich das Geschäft mit den Leichen liquidieren sollen, Staatsanwalt und Bürgermeister am einträglichen Geschäft beteiligen: die Korruption geht weiter. In seinem Gespräch mit Heinz Ludwig Arnold beschreibt Dürrenmatt die Figur des Cop als „ironischen Helden“, der zum tragischen und komischen Helden als dritter Typus hinzutritt: „Cop macht etwas total Unsinniges, etwas, das überhaupt keinen Sinn mehr hat: das Geschäft von

Doc macht er kaputt, aber nachher läuft die Korruption weiter. Er ist ein ironischer Held, d. h. er weiß genau, was er tut, und er macht es nur noch sich selbst zuliebe – und warum? er macht es nur noch sich selbst zuliebe aus einer Begründung, die vielleicht – ich weiß es nicht – veraltet ist, ich weiß nicht, ob man sie überhaupt aussprechen kann: Er macht das, um sich selbst noch achten zu können, um sich selber nicht verächtlich sein zu müssen." Doc ist der Gegentypus, der sich selbst verleugnende Intellektuelle: er verkauft nicht nur seine Wissenschaft an ein verbrecherisches Unternehmen, er wagt es auch nicht, zu seiner Geliebten, zu seinem Sohn und zu sich selbst zu stehen. Einmal der Korruption verfallen, jagt er nicht nur seine Geliebte und dann seinen Sohn durch die Nekrodialyse, er sieht auch zu, wie zwei Staatsdiener, Vollzugsbeamte, die Leiche des Sohns fleddern, und ist am Ende noch froh, daß sie ihm ein Monatsgehalt von geringem Umfang lassen. Die Nekrodialyse geht mit neuen Bossen weiter. „Dieses Nichtwagen, zu sich zu stehen, zu der Wahrheit zu stehen, dieses ganz simple und ungeheuer Menschliche, das stattfinden müßte, findet nicht statt, und es ereignet sich auch in der Wirklichkeit so selten", so kommentiert Dürrenmatt (im Gespräch mit Arnold) die Figur nachträglich.

Sprachlich greift das Stück ins Arsenal des politischen Jargons der Zeit; es benutzt Schlagwörter wie „Umweltverschmutzung", es liebt die plakativen Sentenzen: „Die Zeit der großen Worte ist vorbei", „Wer die Gewalt idealisiert, rechtfertigt die Gesellschaft", „Leben heißt Mitmachen", und überhaupt sprechen die Personen verknappt, sentenzenartig oder in bloßen Stichworten. Vermischt wird der Zeitjargon mit dem scheinbar zeitlosen Gangsterjargon und vor allem mit einer rüden schlichten Geschäftssprache, die ihre Inhumanität gern mit Direktheit verwechselt (hier läge auch ein Ansatzpunkt, die allseitig bemängelte Verknappung des Stücks wenigstens andeutungsweise verständlich werden zu lassen). Dürrenmatt demonstriert mit dieser Sprachgebung (über das Inhaltliche hinaus) sowohl eine korrupte, inhumane, alles auf mehr und mehr unverstandene Schlagwort reduzierende Gesellschaft als auch die Entfremdung der Menschen, die – einmal zum Mitmachen des verbrecherischen Geschäfts entschlossen – dem Geschäft notwendig zum Opfer fallen, weil sie nicht mehr zu sich selbst und damit auch nicht zueinander kommen dürfen und können. Die objektive Entfremdung spiegelt sich in der Selbstverleugnung.

Nach der Uraufführung sagt Dürrenmatt: ,,Mein *Mitmacher* hat Pech gehabt, der Watergate-Skandal ist um ein paar Wochen zu spät für ihn geplatzt", und gegenüber Heinz Ludwig Arnold formuliert er: ,,die Korruption, die mein ,Mitmacher'-Stück zum Thema hat, wurde plötzlich ganz aktuell durch Watergate, ohne daß ich damals Watergate vorausgeahnt habe."[211] Diese Aussprüche reklamieren den grundsätzlich antizipatorischen Aspekt der Kunst für das Stück, überzeugt davon, es sei Aufgabe des Schriftstellers, die Dinge, die eintreten könnten, vorauszugestalten. Jedoch: ist der ,Mitmacher' so konkret gemeint, daß Watergate mit ihm identifizierbar wird? War Watergate eine antizipatorische Potentialität des Stücks? Augenfällig ist, daß das Stück ohne Perspektive bleibt (kein Engel, kein Schwitter) und keine Lösung bietet. Es zeigt vielmehr unerbittlich Unerbittlichkeit: den unaufhaltsamen Kreislauf der selbständig gewordenen Maschinerie, in die der einzelne (Cop) nur noch für einen folgenlosen Augenblick eingreifen kann. Die Wirklichkeit des ,Mitmacher' ist einseitig, mechanisch. Der einmal die Welt Dürrenmatts konstituierende Zufall erscheint nur noch, um die Menschen zusammenzuführen, zugleich aber unauflöslich (es sei denn, sie fahren aufgelöst durch die Nekrodialyse) aneinanderzuketten (in der allgemeinen Korruption). Von ,Freiheit', von Alternativen ist keine Rede mehr, abgesehen von der, die der Intellektuelle, wie Boß es Doc vorhält, für sich erschafft, indem er die eine (vorhandene) Welt verdoppelt: ,,so wie sie ist und so wie sie sein sollte. Von der Welt, wie sie ist, leben sie [die Intellektuellen], von der Welt, wie sie sein sollte, nehmen sie die Maßstäbe, die Welt zu verurteilen, von der sie leben, und indem sie sich schuldig fühlen, sprechen sie sich frei."[212] Diese mögliche Freiheit jedoch entlarvt das Stück als Schein: Doc wartet auf seine Geliebte, die Boß aus Eifersucht umgebracht hat und nun im Koffer von Boß an Doc als Leiche zur Beseitigung übergeben wird. Doc identifiziert die Tote, wagt aber nicht einzugestehen, daß eben sie es ist, auf die er wartet. Statt sich zu ihr zu bekennen und Boß den Mord vorzuhalten, tut er seine Arbeit, die Nekrodialyse. Das bereitgestellte Festmahl frißt (es ist kaum anders zu benennen) derweil Boß, die Szene zynisch kommentierend, auf. Leben ist Mitmachen. Die Schuld als mögliche Freiheit wird gar nicht mehr erwogen. Eine mögliche zweite Welt, eine der Gnade, erweist sich vor der zynischen Realität als Farce.

Der Bezug zu Watergate fehlt also; auch die erwähnten Wochen hätten dem Stück kaum nützen können. Die Gegenkräfte, die Watergate entdeckt und die Regierung Nixon beseitigt haben, kommen bei Dürrenmatt nicht vor. Watergate vorführen, heißt auch, Watergate überwinden, heißt, *historische* Alternativen formulieren und finden. Das aber bedarf der bestimmten Negation, nicht der der Endspiele und der Endtypen, sondern der realen Menschen, die die Bühne zwar nicht wiedergeben kann, insofern sie Theater ist, auf die sie aber *zeigen* kann, insofern sie die geschichtliche Wirklichkeit meint. Die selbstgenügsamen Theatermodelle, die sich zwar als Gegenwirklichkeit verstehen, werden, je mehr sie sich darauf verlassen, die geschichtliche Wirklichkeit werde sie schon irgendwann einmal einholen, zur Parabel einer Welt, die niemand mehr kennt, von der sich niemand mehr getroffen fühlt. Der Ausweg ist nicht in weiteren dramaturgischen Weltmodellen, in weiterer Entmythologisierung der Politik, im weiteren Aufspüren von Ur- und Endtypen, von menschlichen Grundsituationen schlechthin, sondern in der Komplexität der konkreten Wirklichkeit und der konkreten Menschen zu suchen, deren theatralische Umsetzung (die ja keineswegs ‚Widerspiegelung‘ sein soll und muß) nicht nur mehr Anschauung, sondern auch die Möglichkeit für mehr Humanität verheißt. Es gibt auf die Dauer keinen Ausbruch aus der Geschichte. Die Entmythologisierung der Politik ist da zuende, wo die Politik die realen Menschen ereilt.

Der Mißerfolg des ‚Mitmacher‘ – auch eine von Dürrenmatts

Regie geführte Mannheimer Neuinszenierung, die immerhin ein Publikumserfolg wurde, vermag das Stück nicht durchzusetzen – zieht auch die endgültige Enttäuschung über die Theaterarbeit nach sich, eine Arbeit, in die Dürrenmatt viel investiert hat, deren Anerkennung aber ausbleibt. In bezug auf seine Inszenierung der ‚Emilia Galotti‘ von Lessing in Zürich hat Dürrenmatt im Gespräch mit Arnold das Fazit gezogen: ,,Die Zeit meiner Regie war eine Zeit, von der ich jetzt das Gefühl habe, sie ist verloren, weil ich in dieser Zeit nicht geschrieben habe; diese Zeit bringe ich nicht mehr her. Und es war eine Zeit für nichts, weil man sie nicht genutzt hat. Ich frage mich: Warum hast du sieben Wochen lang geprobt, wenn das Stück dann nur vier Wochen gespielt wird? Was hättest du gemacht, wenn du sieben Wochen lang geschrieben hättest? Ich habe meiner Frau gesagt: Jetzt schreibe ich in Sand, und der Wind hat es verweht. Deshalb bin ich vom Theater weggegangen. Und ich bleibe ihm auch fern. Ich muß mit der Zeit rechnen, ich bin jetzt 54 – und ich muß mir meine Zeit sinnvoll einteilen.‘‘

Die Publikation des Textbuchs vom ‚Mitmacher‘ wird für 1973 angekündigt, bleibt aber aus. Dürrenmatt hält den Text zurück, um ihn noch mit einem Nachwort zu versehen: es soll den Titel ‚Philosophie eines Stücks‘ tragen (mehr Text als das Stück selbst umfassen) und ausgehend von den einzelnen Figuren des Stücks zum ersten Einfall der Geschichte (1959 in New York), die auch als Geschichte erzählt wird, zurückkkehren. Die Publikation des Bandes soll im Frühjahr 1976 erfolgen. Ebenfalls für diesen Zeitpunkt ist angekündigt das zweibändige Werk ‚Stoffe und Fragmente. Zur Geschichte meiner Schriftstellerei‘, dessen erster Band in einer Art Autobiographie Geschichten von Projekten liefert, die Dürrenmatt nicht realisiert hat, und dessen zweiter Band z. T. umfangreiche Fragmente begonnener Prosawerke, sammelt (darunter den Roman ‚Justiz‘).

Als ihm der Staat Israel 1974 eine Ehrenprofessur anträgt, hält Dürrenmatt einen Vortrag über Israel – seine frühere Auseinandersetzung mit dem schwierigen Staat, dessen Existenz, wie er 1967 formuliert hat, ,,mit einem Axiom der Menschlichkeit

147

hinreichend begründet" ist und dessen Grund in Auschwitz liegt, fortsetzend –, den Dürrenmatt inzwischen zu einem umfangreichen Essay ausgearbeitet hat; unter dem Titel ‚Zusammenhänge. Essay über Israel. Eine Konzeption' erscheint er Ende 1975.

Die Publikationen, die hier kurz (und aus Kenntnis zweiter Hand) erwähnt werden, sind wahrscheinlich geeignet, manches von dem wieder in Frage zu stellen, was im vorangegangenen Bericht geäußert worden ist – ganz abgesehen von dem, was über die Aufarbeitung des Vergangenen hinaus an Neuem, an neuen Ansätzen noch zu erwarten ist. Aber darin, sich nicht festzulegen, dem *einen* Gesetz sich zu verweigern, nicht auf dem Beharren zu beharren, liegt vielleicht das Humane, das der Held Dürrenmatts, der sich nicht zu sich selbst bekennen will, so oft verleugnet und worüber er die Welt zugrunde gehen läßt. Darin liegt auch Dürrenmatts Aktualität. Das Prädikat ‚Klassiker' ist da nur eine Ausrede, eine gemütliche, die nur dem Vergangenen Würde zugesteht, die Würde der Veränderung aber unterschlägt. Es steht zu hoffen, daß Dürrenmatt noch weitere Unschicklichkeiten anzubieten weiß.

# X. Vom Sinn hinter dem Unsinn

*Versuch einer Musterkritik*

Der Roman ‚Das Versprechen‘ beginnt mit dem Hinweis auf zwei Vorträge: den einen hält Emil Staiger in der Aula des Gymnasiums von Chur über den späten Goethe, den anderen der fiktive Kriminalschriftsteller des Romans über seine Tätigkeit; während Staigers Vortrag offenbar gut besucht ist, bleiben beim Kriminalautor Publikum und Stimmung aus. Die hohe Literatur steht dem niederen Kriminalroman gegenüber; gegen Staiger und Goethe zusammen hat er keine Chance. Die Literatur des Schönen mit ihrer Souveränität, mit ihrem für die Menschheit als solche unentbehrlichen Sinn, die in ausgewählten Herzen die Wege des Gefühls zu bahnen und so dem bisher Unaussprechlichen zum Bewußtsein zu verhelfen vermag, läßt in der Publikumsgunst die Literatur weit hinter sich, die nur das Ungewöhnliche, Einzigartige, Interessante als solches bewundert, deren Weg unweigerlich über das Aparte, Preziöse zum Bizarren, Grotesken und weiter zum Verbrecherischen und Kranken führt, zum Kranken und Verbrecherischen, das nicht als Widerspiel in unserer Einbildungskraft ein wohlgeratenes, höheres Dasein evoziert, das vielmehr um seiner eigenen Reize willen gekostet werden soll und meistens auch gekostet wird.

Als Emil Staiger im Dezember 1966 sein Verdikt über die moderne Literatur ausspricht, eine Literatur, die behaupte, „die Kloake sei ein Bild der wahren Welt, Zuhälter, Dirnen und Säufer Repräsentanten der wahren, ungeschminkten Menschheit“[213], schweigt Dürrenmatt, und nachdem sich ein Jahr lang die Schriftsteller um die Ehre gebalgt haben, von Staiger gemeint gewesen zu sein, meldet sich Dürrenmatt zu Wort und sagt: „Der Satz ist ausschließlich auf mich gemünzt. Ich habe in Frau Nomsen eine Repräsentantin der wahren, ungeschminkten

Menschheit geschaffen, die nicht nur Abortfrau ist, sondern auch Kupplerin."[214] Und in der Tat ist im ‚Meteor' die Kloake buchstäblich das Bild der Welt geworden, die blaugekachelte Unterwelt, die „vom ewigen Spülen [. . .] mit der Zeit" feucht wird, in deren Männerabteilung die Adressen ausgetauscht werden mit einem Gewinn von fünfzig Prozent des Endpreises. Frau Nomsen ist die letzte Person, die in das Sterben des nicht sterbenden Schwitter, des Literaturnobelpreisträgers, der gern Fiktion mit Wirklichkeit verwechselt, gerät. Schwitter ist seit einem Jahr ernstlich erkrankt, es gibt keine Hoffnung mehr, und endlich muß der Arzt, Professor Schlatter, seinen Tod feststellen. Aber Schwitter erwacht wieder von den Toten und begibt sich in sein altes Atelier, um da in Ruhe auf den Tod zu warten. Das Stück behandelt nun in einer Reihe von Auftritten die Konfrontation des sich ums Leben nicht mehr kümmernden Literaten, der sterben will, mit Personen, die mitten im bürgerlichen Leben stehen und mit ihm in irgendeiner Verbindung stehen. Schwitter ist mit jener Distanz ausgestattet, die, den Tod vor Augen, alles andere nur noch für nebensächlich hält; so sagt er zum Maler: „Nyffenschwander, Ihre Sorgen möchte ich haben. Da sterbe ich unaufhörlich, da warte ich Minute um Minute in einer mörderischen Hitze auf einen würdigen Abgang in die Unendlichkeit, verzweifle, weil es nie so recht klappen will, und Sie kommen mir mit einer Nebensächlichkeit."[215] Die Nebensächlichkeit besteht bloß darin, daß Schwitter mit der Frau des Malers geschlafen hat. Die Distanz Schwitters bedeutet im Stück, daß die in sein Sterben geratenen Personen mit ihrem Leben schonungslos konfrontiert werden und diese Konfrontation nicht überleben. Da ist der Maler Nyffenschwander, der immer das Leben malen möchte, einen Akt nach dem anderen von seiner Frau herstellend, das Leben neben sich aber nicht sieht. Da ist der große Muheim, die vor Vitalität berstende Figur des gewissenlosen Ausbeuters, der Unerschütterliche, von dessen Frau Schwitter, indem er eine Gestalt aus seiner Novelle mit der Wirklichkeit verwechselt, behauptet, sie habe ihren Mann mit ihm betrogen, und der große Muheim ist plötzlich klein, der streng bewahrte Rest von Anständigkeit in seinem Leben ist dahin, und er schmeißt aus Wut Nyffenschwander die Treppe hinunter. Da ist der Pastor Emanuel Lutz, der gekommen ist, in dem saufenden und lästernden Literaten die Auferstehung zu feiern, doch die direkte Konfrontation mit der Wirklichkeit dessen, was er einmal in der Woche mindestens predigt, raubt ihm die Luft, so daß er stirbt. Da ist Olga, die vierte Frau des Nobelpreisträgers, Hure von Beruf, im Glauben, durch Schwitter ein neues Leben begonnen zu haben; doch der Distanzierte erklärt ihr, er habe sie nur aus Wut über die Gesellschaft geheiratet und sie sei geblieben, was sie war: ,,Du bist das Geschenk, das ich der Öffentlichkeit vermache, Cäsar stiftete seine Gärten, ich eine Dirne.‘‘[216] Da ist Schlatter, dessen Ruf zerstört ist, weil Schwitter partout noch einmal zum Leben erwacht, und da ist schließlich Frau Nomsen, die Kupplerin, die über den Tod ihrer Tochter nicht hinwegkommt, weil diese, die Hure, sich Gefühle geleistet hat: ,,Gefühle hat man nicht zu haben, die hat man zu machen.‘‘[217] Der Sterbende, der nicht sterben kann, verbreitet Sterben um sich; einen Totentanz hat man deshalb das Stück auch genannt.[218] Aber das ist nur die halbe Wahrheit: Schwitter verbreitet nicht nur Sterben um sich, indem er den Menschen ihre Lebenslügen nimmt, er gibt auch Leben (und stirbt bezeichnenderweise dabei noch einmal): Auguste. Bis Schwitter kommt, lebt Auguste, die Frau des Malers, bloß als Modell für das Leben, das Nyffenschwander nicht auf die Leinwand zu bannen vermag. Sie lebt nicht, bis Schwitter kommt, ihre Schönheit sieht und das tut, was der Maler versäumt hat, mit ihr ins Bett zu gehen. Nach dem Beischlaf, Schwitter ist wieder tot, verläßt sie, ohne sich um ihren Mann noch weiter zu kümmern – ,,Ich war für dich nichts als ein Modell‘‘, ,,Wir sind fertig miteinander‘‘[219] – das Atelier; damit ist ihr Part zu Ende. Sie geht ins Leben; Schwitters Sterben war für sie Leben.

Die Figur der Auguste verweist auf die Thematik von Fiktion und Wirklichkeit; der Maler malt sich, seine Frau abmalend, eine fiktionale Welt zusammen, die die Wirklichkeit vergessen macht. Das aber ist auch genau Schwitters Leben gewesen, der ja gleichfalls mit seiner Literatur auch Fiktionen produziert hat. Schwitter sagt: „Sie schweigen, Frau Nomsen. Für Sie hat das Leben noch einen Sinn. Ich hielt mich nicht einmal selber aus. Ich dachte beim Essen einem Auftritt nach und beim Beischlaf einem Abgang. Vor der ungeheuerlichen Unordnung der Dinge kerkerte ich mich in ein Hirngespinst aus Vernunft und Logik ein. Ich umstellte mich mit erfundenen Geschöpfen, weil ich mich mit den wirklichen nicht abgeben konnte, denn die Wirklichkeit ist nicht am Schreibtisch faßbar, Frau Nomsen, sie erscheint nur in Ihrer blaugekachelten Unterwelt. Mein Leben war nicht wert, daß ich es lebte."[220] Thema des Stücks ist, das Leben vor lauter Darstellung, Vorstellung nicht gelebt zu haben, nur die Abbilder, nicht aber die Wirklichkeit gesehen zu haben. Die Menschen, die in Schwitters Sterben geraten, sterben nicht deshalb, weil er den Tod aussendet, sondern weil sein Sterben ihnen zur Bewußtwerdung der Wertlosigkeit, der Fiktionalität ihres konformen, angepaßten Lebens wird. Alle lebten in Illusionen, in einer selbstgezimmerten Welt von Logik und Vernunft, in Lügen, und sie sterben, weil sie die Wirklichkeit nicht auszuhalten vermögen. „Das Leben ist grausam, blind und vergänglich. Es hängt vom Zufall ab. Eine Unpäßlichkeit zur rechten Zeit, und ich wäre Olga nie begegnet. Wir hatten Pech miteinander, das ist alles –"[221], und das scheint auch alles zu sein.

Die Dürrenmatt-Literatur und -Kritik hat gerade in diesem Stück immer wieder Blasphemie vermutet, Auferstehung, gezeigt an einem gottlästernden, sich besaufenden und sich unflätig äußernden Hauptakteur; und am Ende der Auftritt der Heilsarmee, die an das Wunder glaubt und den Choral „Morgenglanz der Ewigkeit" anstimmt. Daß auf Dürrenmatts Bühne auferstanden werden kann, darüber braucht kein Wort mehr verloren zu werden: hier geht der Vorhang auf, wenn sich die Toten von der Bühne erheben; das ist ganz normal. Aber die religiösen Anspielungen meinen hier noch mehr: Wenn Schwitter auf die Bühne tritt und auf Nyffenschwanders ungläubig stotternde Frage antwortet: „Ich bins", dann ist das nicht Parodie auf die Erkennungsformel Christi im Neuen Testament,[221] sie meint konkret, daß das Wunder in der Welt möglich sein könnte, daß der Meteor einfallen könnte. Es ist die antiaufklärerische Tradition, der Unglaube an eine vollkommen eingerichtete oder vielmehr durch die Menschen vollkommen einrichtbare Welt, die sich hier artikuliert, die Lessings Satz aus der ‚Emilia Galotti‘, der Zufall sei Gotteslästerung, nichts unter der Sonne sei Zufall, umkehrt in den Satz, daß gerade im Nicht-Zufälligen, in der totalen Ordnung, der totalen Vernunft mit ihrer stringenten Logik die Gotteslästerung liege. Lessing konnte noch schreiben: „Der Wunder höchstes ist, / Daß uns die wahren, echten Wunder so / Alltäglich werden können, werden sollen.“[222] Lessing, der Aufklärer, nimmt das Wunder in die Welt hinein, er hat noch die Vorstellung, daß das Wunder in der Alltäglichkeit zum Ausdruck komme, bei Dürrenmatt dagegen, dem Anti-Aufklärer, dem der Glaube an die Übereinstimmung von menschlicher und göttlicher Vernunft abhanden gekommen ist, bricht das Wunder in die Alltäglichkeit hinein, entlarvt und vernichtet sie, weil die Menschen an Wunder und Zufälligkeiten, die ihr eingewohntes Leben in Frage stellen könnten, nicht mehr glauben (als ungläubige Nachfahren der Aufklärung) und allein in ihrer totalen Ordnung den Sinn der Welt und des Lebens sehen. Dürrenmatt stellt den Zufall ausdrücklich als Alternative der Welt gegenüber, als Möglichkeit, ihre Ordnung zu zerstören, als Alternative, als Gegenwirklichkeit zum alltäglichen, unbewußten Dasein der Menschen. Er stellt in seinem Sinn die Welt richtig, indem er darauf verweist, daß diese Welt nicht in sich besteht und beruht, sondern daß die menschliche Ordnung durch eine kosmische Unordnung ständig bedroht ist. Wenn die Heilsarmisten am Ende des Stücks, selbst gesellschaftliche Außenseiter, die einzigen, die bereit sind, das Wunder, den Einfall, das Infragestellen der eingewohnten Welt zu akzeptieren, ihren Choral anstimmen, so ist das keine Blasphemie, genausowenig wie Schwitter eine ist. Sie verweisen auf die Möglichkeit einer anderen Welt, die sich nicht in der irdischen Vernunft und ihrer Logik erschöpft: „Ach, du Aufgang aus der Höh / Gib, daß auch am Jüngsten Tage / Wieder unser Leib ersteh / Und, entfernt von

aller Plage / Sich auf jener Freudenbahn / Freuen kann.‘‘[223] Das
sinnlos gewordene papierene Leben, das Schwitter geführt hat,
erhält von hier aus seinen möglichen Sinn. Der verlorene Sinn
stellt sich durch Wunder, durch den Zufall eines plötzlichen
Einbruchs ein. Es zerstört, verheißt aber gleichzeitig auch Leben, wenn es angenommen wird. Nyffenschwander bis Frau
Nomsen stehen auf der einen Seite, Auguste auf der anderen.
Das Wunder verheißt wahres, eigentliches Leben, jenseits der
geordneten, konformen, in sich ruhenden Bürgerlichkeit und
Wohlanständigkeit, die ihre Prinzipien mit dem Leben verwechselt. Die Konfrontation der Lebenden mit dem ewigen Leben
entlarvt die Scheinheiligkeit des gelebten Lebens. Die blaugekachelte Unterwelt, die Welt des Amoralischen, Verbrecherischen, Nichtigen ist Spiegel einer höheren Welt, deren Ordnung
zwar nicht erkennbar, deren Vorhandensein im Zufall, im Wunder aber offenbar wird.

Dieses Ergebnis soll abschließend noch kurz an der Prosakomödie ,Grieche sucht Griechin‘ überprüft werden. Auch hier
spottet der äußerliche Ablauf des turbulenten Geschehens bürgerlicher Wohlanständigkeit. Ein vertrottelter milchtrinkender
Grieche, Arnolph Archilochos mit Namen, dessen Vorfahren
zur Zeit Karls des Kühnen aus Griechenland ausgewandert sind,
ausgestattet mit einer festen Weltordnung, beschließt zu eheli-
chen, gibt eine Annonce auf ,,Grieche sucht Griechin‘‘, erhält
Antwort, verabredet sich und sieht, seiner Brille nicht trauend,
eine junge, hübsche Frau zur Verabredung erscheinen, die auch
unumwunden dem verdatterten, schon halbverwelkten Griechen ihre Hand offeriert. Das eine Wunder zieht weitere nach
sich; er wird von seinem Vorgesetzten, vom Staatspräsidenten
etc. gegrüßt, er wird am nächsten Tag befördert, er erhält un-
vermutet ein kleines Rokokoschlößchen zum Geschenk, und an
der schließlichen Hochzeit nimmt alle Welt teil, weil alle Welt
seine Frau kennt. Das geht ihm auch auf, er flüchtet, seine
Weltordnung bricht zusammen, er läßt sich von Revolutionären
anheuern, den Staatspräsidenten zu beseitigen, doch dieser hat
ihn erwartet und klärt den Bloßgestellten auf; die Hochzeit sei

für sie ein „Abschieds- und Dankesfest" gewesen, da Chloé, so
der Name der Griechin, nachdem sie ihnen so viel Liebe ge-
schenkt, nun sich endgültig ihm zugewendet habe: „Sie sind
begnadet worden [...], der Grund dieser Gnade kann zweierlei
sein, und es hängt von Ihnen ab, was er sei: die Liebe, wenn Sie
an diese Liebe glauben, oder das Böse, wenn Sie an diese Liebe
nicht glauben."[224] Archilochos glaubt, er sucht die Verscholle-
ne, kehrt in sein Schlößchen zurück, wo sich inzwischen unge-
betene Gäste breitgemacht haben, kehrt den Tempel, Ares wer-
dend - und nebenbei eine Mätresse des Bruders vergewaltigend -
aus. Hier endet die Geschichte. In einem zweiten Ende, für
Leihbibliotheken, wird auch noch das Happy Ending angefügt:
in Griechenland findet Archilochos Chloé wieder als Göttin der
Liebe.

Auch hier ist die Hauptgestalt eine Hure, Personal der Kloake,
wie Emil Staiger es sieht; der Held ist auch nicht eben gerade ein
Vertreter höheren Daseins, erst ein Trottel, dann ein Berserker,
ausgestattet überdies mit einem vielversprechenden Namen.
Der Roman parodiert auf vielfältige Weise, die vorzuführen hier
leider nicht der Platz ist, die klassische deutsche Griechenland-
sehnsucht, jenes das Land der Griechen mit der Seele Suchen,
und zugleich ist der griechische Hintergrund Legitimation dafür, daß nun ausgerechnet in der Dirne das Wunder der Liebe
aufscheint. Der ganze Klamauk, die komischen Gags, die Effek-
te, Anzüglichkeiten und (scheinbaren) Obszönitäten weichen im
Gespräch von Archilochos und dem Staatspräsidenten vollstem
Ernst, wenn dieser ausführt: „Die Liebe ist ein Wunder, das
immer wieder möglich, das Böse eine Tatsache, die immer
vorhanden ist. Die Gerechtigkeit verdammt das Böse, die Hoffnung will bessern, und die Liebe übersieht. Nur sie ist imstande,
die Gnade anzunehmen, wie sie ist. Es gibt nichts Schwereres,
ich weiß es. Die Welt ist schrecklich und sinnlos. Die Hoffnung,
ein Sinn sei hinter all dem Unsinn, hinter all dem Schrecken,
vermögen nur jene zu bewahren, die dennoch lieben."[225] Das
Wunder der Liebe eröffnet den Sinn hinter dem Unsinn des
äußeren Geschehens, es öffnet die Augen für die wahre Liebe,

und diese Liebe übersieht alle Schwächen und alle Niedertracht, es ist die christliche Liebe (nicht die theologische), die Nächstenliebe, die sich eben nicht an den äußerlichen Ordnungen orientiert, sondern die Menschen sieht, wie sie sind, sie annimmt, seien sie Zuhälter, Dirnen, Verbrecher. Jeder Mensch hat das Recht, gut zu sein, und das Recht auf Gnade.

Glaubt man, Dürrenmatt bilde mit seiner Unterwelt, der blaugekachelten feuchten Welt der Frau Nomsen entlarvend die wahre Welt ab, so ergibt sich bei näherem Hinsehen, daß diese Welt nur Fassade ist, Fassade für eine höhere Welt, für einen Sinn hinter dem Unsinn. Wenn man diesen Sachverhalt konstatiert, muß man aber zugleich festhalten, daß Dürrenmatt zu Unrecht die Rede Emil Staigers auf sich bezieht; denn dieser hatte der modernen Literatur vorgeworfen, daß sie „das Aparte, Preziöse zum Bizarren, Grotesken und weiter zum Verbrecherischen und Kranken [steigere], das nicht als Widerspiel in unserer Einbildungskraft ein wohlgeraten, höheres Dasein evoziert, das vielmehr um seiner eigenen Reize willen gekostet werden soll."[226] Dürrenmatts Kunst will nicht um ihrer eigenen Reize willen genossen werden, nicht beim bloßen Abbild von Unterwelten bleiben, Dürrenmatts Kunst ‚evoziert‘ ein höheres (wenn auch nicht wohlgeratenes) Dasein. Seine Kunst verweist ständig (abgesehen von den letzten Endspielen) auf den möglichen Einbruch des Wunders, der Gnade und der damit den Menschen noch möglichen Freiheit. Die Welt erschöpft sich nicht in ihrem Unsinn, es gibt einen Sinn dahinter. „Die Welt ist schrecklich und sinnlos. Die Hoffnung, ein Sinn sei hinter all dem Unsinn, hinter all diesen Schrecken, vermögen nur jene zu bewahren, die dennoch lieben." *Das* ist alles.

# XI. Anmerkungen

1 In: LV 48, S. 30.
2 Ebd. S. 36.
3 Ebd.
4 LV 48, 1. Forts., S. 25.
5 ‚Fingerübungen zur Gegenwart' (1952) in: LV 48, S. 45.
6 Ausführlich zitiert bei Wyrsch, LV 58, S. 25.
7 In: LV 48, S. 36.
8 Jean Rudolf von Salis: Unser Schweizer Standpunkt. Grundsätzliches zu einem Artikel von Reichsminister Dr. Goebbels. In: Neue Schweizer Rundschau, N. F. 10, 1942, S. 329–344. Vgl. dazu: Daniel Frei: Neutralität – Ideal oder Kalkül. Zweihundert Jahre außenpolitisches Denken in der Schweiz. Mit einem Geleitwort von Altbundesrat Friedrich Traugott Wahlen. Frauenfeld und Stuttgart 1967.
9 Friedrich Nietzsche: Also sprach Zarathustra. Ein Buch für alle und keinen. Stuttgart 1964, S. 290: ‚Der häßlichste Mensch', von dem es heißt, S. 292: *„du bist der Mörder Gottes".* Bei Dürrenmatt heißt es LV 41, S. 16: ,,Du bist der Folterknecht. Du bist der letzte der Menschen. Der häßlichste."
10 Walter Matthias Diggelmann: Schweizer Tabus, Schweizer Sünden. In: Merian. Die Schweiz. Heft 1, 28. Jg., Jan. 1975. S. 78–81: ,,Wir haben bereits in den dreißiger Jahren sehr deutlich gezeigt, für wen unser Herz schlagen kann. Nicht links, weit gefehlt, sondern rechts. Zu sagen ist nur, daß uns der italienische Faschismus besser gefiel als der martialische Nationalsozialismus Deutschlands. Aber da wir uns nicht so leichtfertig anpassen, hatten wir unseren eignen Faschismus und sogar einen eigenen Namen dafür: Bei uns nannten wir die Nazis schlicht Fröntler." (S. 78).
11 Monstervortrag, LV 46, S. 9.
12 In: LV 18, S. 53.
13 ‚Rede von einem Bett auf der Bühne aus' (1969) in: LV 49, S. 7.
14 In: LV 18, S. 13 und S. 12.
15 Durzak; LV 62, S. 45.
16 ‚Fingerübungen zur Gegenwart' (1952) in: LV 48, S. 45.
17 In: LV 18, S. 37.
18 Ebd. S. 41.
19 Fritz Martini: Deutsche Literaturgeschichte von den Anfängen bis zur Gegenwart. 16. Aufl. Stuttgart 1972 (= Kröners Taschenausgabe. 196). S. 622.

20 In: LV 41, S. 61.

21 Ebd.

22 In: Das sozialistische Jahrhundert, 1. Jg., Mai 1947, H. 13/14.

23 Ernst Robert Curtius: Europäische Literatur und lateinisches Mittelalter. Bern und München 1948. 5. Aufl. 1965. S. 17.

24 Jacob Steiner: Die Komödie Dürrenmatts. In: Der Deutschunterricht 15, 1963, H. 6, S. 81–98. Hier S. 82.

25 Hans Sedelmayr: Verlust der Mitte. Die bildende Kunst des 19. und 20. Jahrhunderts als Symptom und Symbol der Zeit. Salzburg 1948. S. 178.

26 In: LV 41, S. 184f.

27 Vgl. z. B. Jürgen Kuczynski: Friedrich Dürrenmatt – Humanist. In: Neue deutsche Hefte 12, 1964, Nr. 8, S. 59–89 und Nr. 9, S. 35–55. So wurde z. B. ‚Frank V.' in Polen ein großer Erfolg, wovon sich Dürrenmatt bei seiner Polen-Reise selbst überzeugen konnte; vgl. Wyrsch LV 58, Schluß S. 38.

28 Erzählt bei Wyrsch LV 58, 2. Forts.

29 Ebd. S. 25.

30 Alfred Grosser: Geschichte Deutschlands seit 1945. Eine Bilanz. Für die Taschenbuchausgabe überarb. Fass. München 1974 (= dtv 1007). S. 115.

31 Die Schweiz seit 1945. Beiträge zur Zeitgeschichte. Hg. v. Erich Gruner. Bern 1971 (= Helvetia Politica. Series B. Vol. VI = Vorträge, gehalten an den Volkshochschulen Bern und Zürich im Wintersemester 1969/70). S. 17.

32 In: LV 48, S. 81 und 83.

33 Ebd.

34 Ebd., S. 82.

35 Ebd., S. 81: ,,Wer einen Diktator einen Dämon nennt, verehrt ihn heimlich."

36 ‚Hingeschriebenes' (1947/48), in: LV 48, S. 87.

37 Emil Staiger: Grundbegriffe der Poetik. Zürich 1946.

38 Ebd., zit. nach der Taschenbuchausgabe München 1971 (= dtv WR 4090), S. 9.

39 Wyrsch LV 58, 2. Forts. S. 25.

40 Brock-Sulzer LV 55, S. 39; Jenny LV 59, S. 26.

41 In: LV 18, S. 181 und 185.

42 Vgl. Wyrsch LV 58, 3. Forts.

43 LV 33, S. 102.

44 In: LV 17, S. 252.

45 Wyrsch LV 58, 3. Forts., S. 23.

46 Vgl. LV 52, S. 16.

47 In: LV 17, S. 51.

48 Vgl. LV 52, S. 10.

49 Paul Nizon: Diskurs in der Enge. Aufsätze zur Schweizer Kunst. Bern 1970 (= Edition Materialien. 2). S. 115 f. Es heißt dort auch (S. 111): die Schweiz „vermag ihre großen Söhne nicht nur *nicht* zu tragen, sie ist ihnen geradezu feindlich gesinnt. Die Schweizer Kunstgeschichte ist eine tragische Geschichte." Als weitere wichtige und kritische Kommentare zur Schweiz sind vor allem zu nennen: Karl Schmid: Unbehagen im Kleinstaat. Untersuchungen über Conrad Ferdinand Meyer, Henri-Frédéric Amiel, Jacob Schaffner, Max Frisch, Jacob Burckhardt. Stuttgart und Zürich 1963. Und: Jean Rudolf von Salis: Schwierige Schweiz. Beiträge zu einigen Gegenwartsfragen. Zürich 1968. Leider läßt es der Platz nicht zu, hier und an anderer Stelle näher auf die vielfältigen Fragen im Zusammenhang der Schweiz einzugehen.

50 ‚Fingerübungen zur Gegenwart' (1952) in: LV 48, S. 45.

51 Wyrsch LV 58, 3. Forts., S. 24.

52 Albert Bettex: Die Literatur der deutschen Schweiz von heute. Olten 1949. S. 31.

53 Stefan Reisner: Das Wort Dichter nicht verwenden: Gespräche mit Friedrich Dürrenmatt, Henry Miller und Günter Grass: Ein achtzehnstündiges Interview. In: Vorwärts, 17. 2. 1961.

54 In: LV 17, S. 118.

55 Ebd., 109. Es handelt sich dabei übrigens um ein leicht modifiziertes Brecht-Zitat: „ ‚Alles kann besser werden', sagte Herr Keuner, ‚außer dem Menschen.' " (‚Herr Keuner und die Zeitungen': Bertolt Brecht: Gesammelte Werke in 20 Bänden. Frankfurt a. M. 1967, Bd. 12, S. 404). Bei Brecht ist der Sinn freilich genau umgekehrt: weil der Mensch nicht zu bessern ist, muß man seine Umwelt so gut wie möglich machen, damit er nicht dazu kommt, schlecht zu sein.

56 Wyrsch LV 58, 3. Forts., S. 23.

57 In: LV 17, S. 157.

58 In: LV 48, S. 246.

59 Jacques Monod: Zufall und Notwendigkeit. Philosophische Fragen der modernen Biologie. München 1971. Das Zitat S. 141 f.

60 Hans Reichenbach: Der Aufstieg der wissenschaftlichen Philosophie. Braunschweig 1968. 2. Aufl. (= Wissenschaftstheorie, Wissenschaft und Philosophie). S. 266. Reichenbach ist einer der wichtigsten Vertreter der Wahrscheinlichkeitstheorie.

61 Ebd., S. 269.

62 Günter Waldmann: Theorie und Didaktik der Trivialliteratur. Modellanalysen – Didaktikdiskussion –literarische Wertung. München 1973 (= Kritische Information. 13). S. 47.

63 In: LV 48, S. 193.

64 Wie Anm. 62, S. 48.

65 Vgl. Spycher LV 63, S. 124.

66 So z. B. Gero von Wilpert: Sachwörterbuch der Literatur. 5., verb. u. erw. Aufl. Stuttgart 1969 (= Kröners Taschenausgabe. 231). S. 412.

67 Zitate in LV 33, S. 65–67.

68 LV 34, S. 69.

69 Ebd., S. 110.

70 Ebd., S. 84.

71 Ebd., S. 112.

72 LV 38, S. 14 f.

73 Vgl. dazu bes. Reichenbach Anm. 60, S. 301 ff. Zur Kritik an Monods Folgerungen: Das Argument 88, 16. Jg. Dez. 1974: Peter M. Kaiser: Monods Versuch einer Widerlegung materialistischer Dialektik, S. 827 ff. und die anderen Aufsätze des Bandes.

74 Arnold LV 61, S. 59.

75 Hans Mayer: Dürrenmatt und Frisch. Anmerkungen. Pfullingen 1963 (= Opuscula. 4). S. 24.

76 LV 37, S. 107.

77 Ebd., S. 108.

78 Ebd., S. 111.

79 Ebd., S. 115.

80 Ebd., S. 9 f.

81 Ebd., S. 120.

82 Wie Anm. 75.

83 Wie Anm. 81, S. 11.

84 In: LV 48, S. 313 und 312.

85 Ebd., S. 338.

86 Horst Krüger: Der Schriftsteller in der Opposition. In: Literatur zwischen links und rechts. Deutschland, Frankreich, USA. München 1962 (= Thema. 2). S. 20.

87 In: LV 28, S. 79.

88 Wyrsch LV 58, 4. Forts., S. 37.

89 ,,,Ohne meine Frau wäre mein Leben ein Chaos", sagt Fritz'. In: Annabelle, Nr. 329, Jg. 26, 21. Aug. 1963.

90 Zitiert z. B. in: Hugo Leber: Zur Situation der Literatur in der Schweiz. Zürich und Winterthur 1967. S. 7 f.

91 Ebd., vgl. Lebers Ausführungen dazu.

92 Zit. bei Bänziger LV 56, S. 161.

93 So Wyrsch LV 58, 4. Forts.

94 In: LV 28, S. 117.

95 Ebd., S. 133.

96 Ebd., S. 120.

97 Ebd., S. 124.

98 Ebd., S. 152.

99 Bänziger LV 56, S. 180.
100  LV 28, S. 125.
101 In: LV 28, S. 96.
102 Ebd., S. 102.
103 In: LV 48, S. 247 ff.
104 In: LV 17, S. 252.
105 Ebd., S. 172.
106 Durzak LV 62, S. 81; vgl. Arnold LV 61, S. 41.
107 LV 17, S. 188.
108 Ebd., S. 249.
109 Ebd., S. 248.
110 In: LV 28, S. 218.
111 Ebd., S. 202.
112 Gustav Schwab: Sagen des klassischen Altertums. Vollständige
    Ausgabe. Mit 96 Zeichnungen von John Flaxmann. Leipzig o. J. S.
    173.
113 In: LV 48, S. 136.
114 Ebd., S. 119.
115 Ebd., S. 122.
116 Faksimile in: Die Literatur in der Bundesrepublik Deutschland. Hg.
    v. Dieter Lattmann (= Kindlers Literaturgeschichte der Gegen-
    wart). 2., neu durchges. Aufl. Zürich und München 1973. S. 35.
    Die Diskussion der Schuldfrage s. ebd. S. 27 ff.
117 LV 48, S. 123.
118 Ebd., S. 103 f.
119 LV 52, S. 18.
120 LV 48, S. 115.
121 Ebd., S. 111.
122 Ebd., S. 114.
123 Die Schauspieltruppe Zürich, Maria Becker, Robert Freitag: Die
    Ehe des Herrn Mississippi. Eine Komödie in zwei Teilen von F'D',
    Programmheft 1967/68.
124 In: LV 48, S. 94.
125 Faksimile in: Die zeitgenössischen Literaturen der Schweiz. Hg. v.
    Manfred Gsteiger (= Kindlers Literaturgeschichte der Gegenwart).
    Zürich und München 1974. S. 44 f.
126 Zuerst: Basel 1955. S. 17.
127 Wyrsch LV 58, 4. Forts., S. 38.
128 In: LV 17, S. 282.
129 Erich Kühne: Satire und groteske Dramatik. Über weltanschau-
    liche und künstlerische Probleme bei Dürrenmatt. In: Weimarer
    Beiträge 12, 1966, S.539–65. Hier S. 558.
130 Kuczynski wie Anm. 27, S. 66. Kuczynski nimmt polemisch Bezug
    auf Rainer Kerndl, der im ‚Neuen Deutschland' vom 2. 8. 1963 die

,,antihumanistische Hoffnungslosigkeit" des Stücks verurteilt hat.

131 In: LV 28, S. 287.
132 Arnold LV 61, S. 71.
133 LV 28, S. 313.
134 Ebd., S. 314.
135 In: LV 48, S. 274.
136 LV 48, S. 89.
137 In: LV 18, S. 273.
138 Vgl. LV 50, S. 104.
139 Vgl. z. B. Durzak LV 62, S. 102ff.
140 Wyrsch LV 58, Schluß, S.39.
141 S. Anm. 27.
142 Theodor Schwarz: Die Kritik der bürgerlichen Gesellschaft bei Dürrenmatt und Frisch. In: Philologica 18, 1966, S. 83–89. Hier S. 87.
143 Mannheimer Morgen, Nr. 31, 7. 2. 1959, S. 28.
144 In: LV 48, S. 222.
145 Ebd., S. 123.
146 Ebd., S. 228.
147 In: LV 18, S. 338.
148 Zit. nach Ernst Schumacher: Drama und Geschichte. Bertolt Brechts ,Leben des Galilei' und andere Stücke. Berlin 1965. S. 313; vgl. überhaupt Schumachers Ausführungen dazu, S. 306ff.
149 Karl Jaspers: Die Atombombe und die Zukunft des Menschen. Politisches Bewußtsein in unserer Zeit. München 1961 (= dtv 7). S. 168.
150 Ebd.
151 In: LV 18, S. 342.
152 Bertolt Brecht: Leben des Galilei.: B'B': Gesammelte Werke in 20 Bänden. Frankfurt a. M. 1967. Bd. 3.
153 LV 18, S. 350.
154 Bänziger LV 56, S. 203.
155 Heinar Kipphardt: In der Sache J. Robert Oppenheimer. Ein szenischer Bericht. Frankfurt a. M. 1964 (= edition suhrkamp. 64). S. 115f.
156 Ebd., S. 125.
157 In: LV 18, S. 353–355.
158 Franz Norbert Mennemeier: Modernes Deutsches Drama. Kritiken und Charakteristiken. Band 2: 1933 bis zur Gegenwart. München 1975 (= UTB 425). S. 188.
159 Meine Rußlandreise. I., II., III. Teil. In: Zürcher Woche, 10., 17. und 24. Juli 1964. Das Zitat steht in Teil I.
160 Spycher LV 63, S. 342.
161 In: LV 49, S. 267.

162 Hans Bänziger: Dramaturgisches und Kritisches. Zum Thema Friedrich Dürrenmatt. In: Schweizer Monatshefte 53, 1973/74, S. 436–439; hier S. 438.

163 Alfred A. Häsler: Gespräch zum 1. August mit Friedrich Dürrenmatt. In: Ex Libris 21, August 1966, H. 8, S. 9–21.

164 Vgl. Anm. 10.

165 In: Der Zürcher Literaturstreit. Eine Dokumentation. In: Sprache im technischen Zeitalter 22, 1967, April–Juni. S. 96.

166 In: LV 49, S. 62.

167 Ebd., S. 65.

168 Max Frisch in seiner Entgegnung: Endlich darf man es wieder sagen. (24. 12. 1966 in ‚Die Weltwoche‘), vgl. Anm. 165, dort S. 109: „Ich unterstelle dir nichts, Emil Staiger, ich meine nur dies: wer auf eine Bühne tritt und insbesondere auf diese Bühne, steht in der Zeit und hat sich dieser Zeit bewußt zu sein, damit sein Vornehm-Gemeintes nicht (wider seinen Willen) Wasser auf die Knochenmühle sehr gewisser Leute sein kann; die Naivität des apolitischen Gelehrten ist an diesem Platz nicht statthaft."

169 LV 53, S. 36.

170 In: LV 19, S. 136.

171 In: Theater heute 9, Nr. 10, Okt. 1968. S. 28.

172 In: LV 19, S. 176.

173 In: Theater heute 8, Nr. 8, Aug. 1967: Dürrenmatt entwirft ein Theater (Gespräch mit Bruno Schärer). S. 41.

174 LV 51, S. 8.

175 In: LV 19, S. 223.

176 Ebd., S. 231.

177 Ebd., S. 258.

178 Ebd., S. 275.

179 Ebd., S. 279.

180 Ebd., S. 215.

181 Vgl. Anm. 123.

182 In: LV 19, S. 349.

183 Ebd., S. 347.

184 In: LV 49, S. 121.

185 Hans Schwab-Felisch in: Theater heute 11, Nr. 12, Dez. 1970: Dürrenmatts Debakel. S. 16–17.

186 LV 15, S. 37.

187 Ebd., S. 61.

188 Dürrenmatt hat im ‚Sonntags-Journal‘ am 25./26. Okt. 1969 öffentlich dazu Stellung genommen, und schrieb da: „Was in Wirklichkeit in Basel geschehen ist, läßt sich nur schwer darstellen." Die wirklichen Gründe für den Bruch sind nie offen gesagt worden; auch Düggelin machte nur Andeutungen und Anspielungen.

189 Bänziger LV 56, S. 217.

190 In: Sonntags-Journal vom 1./2. Nov. 1969, Nr. 44, S. 3f. Dort stehen auch die Entgegnungen der drei von Dürrenmatt gekürten Preisträger.

191 So stellt es Sebastian Speich im Sonntags-Journal dar, 29./30. 11. 1969, Nr. 48: Schwarzenbachs traurige Schweiz, S. 2: „Die schweizerische Volkswirtschaft wird aus einigen wenigen Großbetrieben bestehen, die sich aus der Konzentration ganzer Branchen ergeben, mit einem reduzierten, vereinheitlichten Produktionsprogramm, so weit wie möglich automatisiert und rationalisiert." Das ist Dürrenmatts Thema!

192 Vgl. Anm. 190.

193 Ebd.

194 Durzak LV 62, S. 144.

195 Bänziger LV 56, S. 236.

196 Vgl. Theater heute 9, Nr. 3, März 1968. S. 3–5.

197 LV 46, S. 63f.

198 Bericht im Sonntags-Journal 29./30. Nov. 1969, Nr. 48, S. 26.

199 Vgl. Anm. 125, S. 119f.

200 LV 47, S. 59.

200a Jürg Federspiel: Museum des Hasses. Tage in Manhattan. München 1969. 2. Aufl. 1973. Die Zitate stehen auf S. 100 und S. 60.

201 Vgl. Anm. 173.

202 Z. B. Erich Trunz in: Goethes Werke. Hamburger Ausgabe in vierzehn Bänden. Hamburg 1949, 1964. Band 3. S. 639. Faust müsse, sagt Trunz dort, als jugendlicher Gelehrter, nur wenig über 30 Jahre vorgestellt werden.

203 In: LV 49, S. 203.

204 Historia v. D. Johann Fausten. In: Deutsche Volksbücher. Hg. v. Karl Otto Conrady. Reinbek bei Hamburg 1968 (= RK 510/511). S. 68.

205 Ebd., S. 73.

206 Hans Schwab-Felisch in: Theater heute 12, Nr. 2, Febr. 1971, S. 21.

207 In: LV 19, S. 427.

208 In: LV 49, S. 191f.

209 Arthur Joseph: Theater unter vier Augen. Gespräche mit Prominenten. Köln und Berlin 1969. S. 19.

210 So Hellmuth Karasek in: Die Zeit 12, 16. 3. 1973, S. 24, so Theater heute 14, Nr. 4, April 1973, S. 21 ff., so Anton Krättli in: Schweizer Monatshefte 53, 1973/74, S. 14–17.

211 Vgl. Brock-Sulzer LV 55, S. 228f.

212 F'D': Der Mitmacher. Komödie. Bühnen-Manuskript. Berlin o. J., S. 138.

213 Vgl. Anm. 165, S. 95.

164

214 In: LV 49, S. 62.
215 In: LV 19, S. 49.
216 Ebd., S. 37.
217 Ebd., S. 71.
218 Brock-Sulzer LV 55, S.153.
219 LV 19, S. 48.
220 Ebd., S. 72.
221 Ebd., S. 13; vgl. z. B. Joh. 8, 18; Markus 14, 62; Lukas 24, 39.
222 Lessing: Nathan der Weise, I. Akt., 2. Szene.
223 LV 19, S. 75.
224 LV 36, S. 137.
225 Ebd.
226 Vgl. Anm. 165, S. 93.

# XII. Literaturverzeichnis

Das folgende Literaturverzeichnis ist der besseren Übersicht wegen
unabhängig von seiner Systematik durchgezählt. Die Nummern des
Literaturverzeichnisses entsprechen den LV-Nummern der Anmerkungen.

## 1. Publikationen Dürrenmatts

Dürrenmatts Werke sind innerhalb der einzelnen Rubriken chronologisch, und zwar nach dem Datum ihrer Entstehung geordnet.

### a) Stücke

1 Es steht geschrieben. (Mit sechs Zeichnungen vom Autor.) Basel
   1947 (= Sammlung Klosterberg. Schweizer Reihe)
2 Der Blinde. Ein Drama. Zürich 1960
3 Romulus der Große. Eine ungeschichtliche historische Komödie in
   vier Akten. Basel 1956. 2. Fass. Zürich 1958. 3. Fass. Zürich 1961. 4.
   Fass. Zürich 1964
4 Die Ehe des Herrn Mississippi. Eine Komödie in zwei Teilen. Zürich
   1952. 2. Fass. Zürich 1957.
   Die Ehe des Herrn Mississippi. Ein Drehbuch mit Szenenbildern.
   Zürich 1961 (= Galerie Sanssouci)
5 Ein Engel kommt nach Babylon. Eine Komödie in drei Akten.
   Zürich 1954. 2. Fass. Eine fragmentarische Komödie in drei Akten.
   Zürich 1958
6 Der Besuch der alten Dame. Eine tragische Komödie. Mit einem
   Nachwort. Zürich 1956
7 Frank der Fünfte. Oper einer Privatbank. Musik von Paul Burkhard.
   Zürich 1960
   Frank der Fünfte. Eine Komödie. Mit Musik von Paul Burkhard.
   Bochumer Fassung. Zürich o. J.
8 Die Physiker. Eine Komödie in zwei Akten. Zürich 1966
9 Herkules und der Stall des Augias. Eine Komödie. (Mit Zeichnungen von F. Dürrenmatt). Zürich 1963
10 Der Meteor. Eine Komödie in zwei Akten. Zürich 1966
11 Die Wiedertäufer. Eine Komödie in zwei Teilen. Zürich 1967
12 König Johann. Nach Shakespeare. Zürich 1968
13 Play Strindberg. Totentanz nach August Strindberg. Zürich 1969
14 Titus Andronicus. Eine Komödie nach Shakespeare. Zürich 1970

15 Portrait eines Planeten. Zürich 1971
16 Der Mitmacher. Komödie. [erscheint Zürich 1976, erweitert um das Nachwort ‚Philosophie eines Stücks'].

## b) Sammelausgaben der Stücke

17 Komödien I. Zürich 1957. (Darin: Romulus der Große. Unge-schichtliche historische Komödie in vier Akten. Neue Fassung 1964. / Die Ehe des Herrn Mississippi. Eine Komödie. Dritte Fassung. / Ein Engel kommt nach Babylon. Eine fragmentarische Komödie in drei Akten. Zweite Fassung 1957. / Der Besuch der alten Dame. Eine tragische Komödie in drei Akten.)
18 Komödien II und frühe Stücke. Zürich 1959. (Darin: Es steht ge-schrieben. Ein Drama. / Der Blinde. Ein Drama. / Frank der Fünfte. Eine Komödie. Mit Musik von Paul Burkhard. Bochumer Fassung, 1964. / Die Physiker. Eine Komödie in zwei Akten, 1962. / Herkules und der Stall des Augias. Eine Komödie, 1963.)
19 Komödien III. Zürich 1966. (Darin: Der Meteor. Eine Komödie in zwei Akten. / Die Wiedertäufer. Eine Komödie in zwei Teilen. / König Johann. Nach Shakespeare. / Play Strindberg. Totentanz nach August Strindberg. / Titus Andronicus. Eine Komödie nach Shake-speare.)

## c) Hörspiele

20 Der Doppelgänger. Ein Spiel. (Ill. v. Wolf Barth.) Zürich 1960
21 Der Prozeß um des Esels Schatten. Ein Hörspiel (nach Wieland – aber nicht sehr). Zürich 1956
22 Nächtliches Gespräch mit einem verachteten Menschen. (Ein Kurs für Zeitgenossen). Zürich 1957 (= Die kleinen Bücher der Arche. 237)
23 Stranitzky und der Nationalheld. Zürich 1959
24 Herkules und der Stall des Augias. Mit Randnotizen eines Kugel-schreibers. Zürich 1954 (= Herkules Bücherei)
25 Das Unternehmen der Wega. Ein Hörspiel. Zürich 1958 (= Die kleinen Brüder der Arche. 264)
26 Abendstunde im Spätherbst. Zürich 1959 (= Die kleinen Bücher der Arche. 276/77)
27 Die Panne. Ein Hörspiel. Zürich 1961 (= Die kleinen Bücher der Arche. 360/61)

## d) Sammelausgabe der Hörspiele

28 Gesammelte Hörspiele). Zürich 1960 (Darin die oben einzeln ver-zeichneten Hörspiele)

## e) Prosa

29 Der Alte. In: Der Bund, 25. 3. 1945. Bern
30 Das Bild des Sisyphos. Zürich 1968 (= Die kleinen Bücher der Arche. 463)
31 Der Nihilist. Ill. v. Theo Otto. Horgen-Zürich 1950
   Die Falle. Erzählung. Zürich 1966 (= Die kleinen Bücher der Arche. 432)
32 Pilatus. Olten 1949 (= Veröffentlichung der Vereinigung Oltner Bücherfreunde. 42)
33 Der Richter und sein Henker. (Kriminalroman). Einsiedeln 1952
   Dass. Mit 14 Zeichnungen von Karl Staudinger. Reinbek bei Hamburg 1955 (= rororo Taschenbuch. 150) (danach zitiert)
34 Der Verdacht. (Kriminalgeschichte). Einsiedeln 1951
   Dass. Roman. Reinbek bei Hamburg 1961 (= rororo Taschenbücher. 448) (danach zitiert)
35 Der Tunnel. Zürich 1964 (= Die kleinen Bücher der Arche. 396)
36 Grieche sucht Griechin. Eine Prosakomödie. Zürich 1955
   Dass.: Frankfurt a. M. 1958 (= Ullstein Bücherei. 199) (danach zitiert)
37 Die Panne. Eine noch mögliche Geschichte. (Ill. v. Rolf Lehmann). Zürich 1956
38 Das Versprechen. Requiem auf den Kriminalroman. Zürich 1958. Auch: Gütersloh 1965 (danach zitiert)
39 Die Heimat im Plakat. Ein Buch für Schweizer Kinder. Zürich 1963
40 Der Sturz. Zürich 1971

## f) Sammelausgabe von Prosawerken

41 Die Stadt. Prosa I–IV. Zürich 1952. (Darin: Weihnacht / Der Folterknecht / Der Hund / Das Bild des Sisyphos / Der Theaterdirektor / Die Falle / Die Stadt /Der Tunnel / Pilatus)

## g) Aufsätze, Reden, Berichte

42 Theaterprobleme. (Nach einem Manuskript eines Vortrages). Zürich 1955
43 Friedrich Schiller. Eine Rede. Zürich 1960 (= Die kleinen Bücher der Arche. 303)
44 Der Rest ist Dank. Zwei Reden von Werner Weber und F'D'. Zürich 1961 (Die kleinen Bücher der Arche. 331)
45 Tschechoslowakei 1968. Zürich 1968 (= Edition Arche nova)
46 Monstervortrag über Gerechtigkeit und Recht. Nebst einem Helvetischen Zwischenspiel. (Eine kleine Dramaturgie der Politik). Zürich 1969
47 Sätze aus Amerika. Zürich 1970
47aZusammenhänge. Essay über Israel. Eine Konzeption. Zürich 1975

## h) Sammelwerke von Aufsätzen, Reden etc.

48 Theater-Schriften und Reden. Hg. v. Elisabeth Brock-Sulzer. Zürich 1966. Neue Aufl. 1969 (Umfaßt den Zeitraum von 1947–1965)

49 Dramaturgisches und Kritisches. Theater-Schriften und Reden II. Zürich 1972 (Umfaßt die Jahre 1967–1971; unsorgfältig ediert; Erstdrucknachweise fehlen)

## i) Wichtige Gespräche

50 Bienek, Horst: Werkstattgespräche mit Schriftstellern, mit 15 Photos auf Tafeln. München 1962. F'D': S. 99–112.

51 Wie schreibt man böse, wenn man gut lebt? Gespräch mit F'D' von Siegfried Melchinger. In: Theater heute 9, Nr. 9, Sept. 1968. S. 6–8

52 Literarische Werkstatt. Interviews mit F'D' (u. a.). Hg. v. Gertrud Simmerding und Christof Schmid. München 1972. F'D': S. 9–18

53 Der Schriftsteller in unserer Zeit. Schweizer Autoren bestimmen ihre Rolle in der Gesellschaft. Eine Dokumentation zu Sprache und Literatur der Gegenwart. Hg. v. Peter André Bloch und Edwin Hubacher. Bern 1972. F'D': S. 36–50

54 Friedrich Dürrenmatt im Gespräch mit Heinz Ludwig Arnold. Zürich 1976. [Da mir nur das Manuskript vorlag, sind die entnommenen Zitate nicht nachgewiesen]

## 2. Literatur über Dürrenmatt (Kommentierte Auswahl)

55 Brock-Sulzer, Elisabeth: Friedrich Dürrenmatt. Stationen seines Werkes. Mit Photos, Zeichnungen, Faksimiles. Zürich 1960. 4., erg. Aufl. 1973 (Die umfassendste Gesamtdarstellung zu Dürrenmatt; geordnet nach Gattungen; berücksichtigt auch den Zeichner. Die Deutungen sind eingehend, aber oft vage; viel Apologie, weniger Analyse; Dürrenmatts nicht-poetischen Werke werden nur am Rande berücksichtigt)

56 Bänziger, Hans: Frisch und Dürrenmatt. Bern 1960. 5., neu bearb. Aufl. 1967. 6., neu bearb. Aufl. 1971. F'D': S. 135–227 (Alternativ zu Brock-Sulzer weitgehend historische Darstellung unter Berücksichtigung aller Schriften und auch der Theaterarbeit; verarbeitet viel Material und ist bemüht, den Autor in die politische und literarische Schweizer Szene einzuordnen)

57 Der unbequeme Dürrenmatt. Mit Beiträgen von Gottfried Benn, Elisabeth Brock-Sulzer, Fritz Buri, Reinhold Grimm, Hans Mayer und Werner Oberle. Basel 1962 (= Theater unserer Zeit. 4) (Sammlung von Aufsätzen zu Dürrenmatt, die die frühe und tiefgreifende Wirkung von Dürrenmatt dokumentieren; der Titel wurde zum Schlagwort)

58 Wyrsch, Peter: Die Dürrenmatt-Story. In: Schweizer Illustrierte Nr. 12, S. 23–25, 32; Nr. 13, S. 23–25 (1. Forts.); Nr. 14, S. 23–25 (2. Forts.); Nr. 15, S. 23–25 (3. Forts.); Nr. 16, S. 37–39 (4. Forts.) und Nr. 17, S. 37–39 (5. Forts. und Schluß). – 18. 3. 1963 – 22. 4. 1963 (Ausführlichste Darstellung vom Leben bis 1963; zwar mit Klatsch angereichert, aber auch mit viel Material, das leider häufig nicht datiert ist; unentbehrlich für Einzelinformationen, mit Vorsicht zu verarbeiten)

59 Jenny, Urs: Friedrich Dürrenmatt. Velber bei Hannover 1965. 5., auf d. neuesten Stand gebrachte Aufl. 1973 (= Friedrichs Dramatiker des Welttheaters. 6) (Berücksichtigt nur den Dramatiker, den aber ausführlich, vor allem bemüht, die Werke inhaltlich vorzustellen; zurückhaltende Deutung; dokumentiert die Wirkung des Werks und stellt die wichtigsten Inszenierungen vor – mit Bildern; nützlich ist die ausführliche Zeittafel von Leben und Werk)

60 Brock-Sulzer, Elisabeth: Dürrenmatt in unserer Zeit. Eine Werkinterpretation nach Selbstzeugnissen. Basel 1968 und 1971 (Chronologische Aneinanderreihung von Kürzestdeutungen des Werks – mit wenigen sonstigen Daten; Dürrenmatt ,,in unserer Zeit" wird nur eingelöst durch eine kurze Analyse des ‚Monstervortrags')

61 Arnold, Armin: Friedrich Dürrenmatt. Berlin 1969. 3., ergänzte Aufl. 1974 (= Köpfe des 20. Jahrhunderts. 57)(Sehr gedrängte, teils chronologisch, teils nach Gattungen geordnete Gesamtdarstellung; die Deutungen sind oft von zufälligen Einfällen bestimmt und nicht immer überzeugend)

62 Durzak, Manfred: Dürrenmatt, Frisch, Weiss. Deutsches Drama der Gegenwart zwischen Kritik und Utopie. Stuttgart 1972, 1973. F'D': 31–144 (Liefert sehr ausführliche Einzelinterpretationen von den Originaldramen Dürrenmatts – bis ‚Portrait'– und eine vorangestellte Deutung der Theatertheorie, die Dürrenmatts Werk als Darstellung von der Sinnlosigkeit und Chaotik des Daseins festlegt – Geschichtspessimismus; darunter leiden alle Deutungen)

63 Spycher, Peter: Friedrich Dürrenmatt. Das erzählerische Werk. Frauenfeld und Stuttgart 1972 (an Umfang Dürrenmatts Prosa-Werk gleich, verbindet zu lange Nacherzählungen mit Deutungen, die aber durch Verarbeitung umfangreichen Materials und Zurückhaltung überzeugen; materialreiche Fundgrube; enthält einen kurzen Abschnitt über die Sprache des Autors)

64 Profitlich, Ulrich: Friedrich Dürrenmatt. Komödienbegriff und Komödienstruktur. Eine Einführung. – Stuttgart 1973. (= Sprache und Literatur. 86) (Erste große systematische Untersuchung von Komödie und Komödientheorie; die mit Dürrenmatt die Widersprüchlichkeit teilt; anregend, aber kaum eine Einführung)

65 Text u. Kritik. Nr. 50/51: Friedrich Dürrenmatt. München 1976.

# XIII. Zeittafel zu Leben und Werk

1921 (5. Januar) Geburt in Konolfingen (Bern), Eltern: Reinhold Dürrenmatt (Pfarrer) und Ehefrau Hulda geb. Zimmermann.

1933 bis 1935 Sekundarschule in Großhöchstetten.

1935 Umzug der Familie nach Bern. Freies Gymnasium, später Humboldtianum in Bern.

1941 Reifeprüfung, danach Philosophiestudium in Zürich (1. Semester mit Literaturwissenschaft) und in Bern (ab 2. Semester).

1943 Beginn der schriftstellerischen Arbeit: ‚Komödie‘ (unveröffentlichtes Theaterstück), die Erzählungen ‚Weihnacht‘ und ‚Der Folterknecht‘.

1945 Die erste Publikation: ‚Der Alte‘ (Erzählung); es entstehen die Erzählungen: ‚Das Bild des Sisyphos‘, ‚Der Theaterdirektor‘; das Stück ‚Es steht geschrieben‘ wird begonnen.

1946 ‚Es steht geschrieben‘; Erzählungen: ‚Die Falle‘, ‚Pilatus‘; es entsteht das Hörspiel ‚Der Doppelgänger‘. Lebt in Basel. Heirat: Lotti Geißler.

1947 Es entsteht das Stück ‚Der Blinde‘, außerdem ein Roman, aus dem die Erzählung ‚Die Stadt‘ ausgegliedert wird (erscheint 1952).

1948 Arbeit an dem Stück ‚Romulus der Große‘; Umzug nach Ligerz am Bielersee.

1949 Es entsteht der ‚Turmbau von Babel‘, der vernichtet wird.

1950 Arbeit am Stück ‚Die Ehe des Herrn Mississippi‘; zum Geldverdienen schreibt er den Kriminalroman ‚Der Richter und sein Henker‘.

1951 Entsteht der zweite Kriminalroman ‚Der Verdacht‘; die Erzählungen ‚Der Hund‘ und ‚Der Tunnel‘ werden geschrieben, außerdem das Hörspiel ‚Der Prozeß um des Esels Schatten‘; Theaterkritik in Zürich (‚Weltwoche‘).

1952 Die Uraufführung des ‚Mississippi‘ bringt den Durchbruch (März); Dürrenmatt erwirbt ein Haus in Neuchâtel; die Prosa erscheint als Sammelband unter dem Titel ‚Die Stadt‘; es entstehen die Hörspiele ‚Stranitzky und der Nationalheld‘, ‚Nächtliches Gespräch mit einem verachteten Menschen‘.

1953 Arbeit an dem Stück ‚Ein Engel kommt nach Babylon‘, das Ende des Jahres uraufgeführt wird.

1954 Arbeit an den Hörspielen ‚Herkules und der Stall des Augias‘ und ‚Das Unternehmen der Wega‘; die theoretische Arbeit findet ihren Niederschlag in den ‚Theaterproblemen‘ (Komödientheorie).

1955 Es entsteht die ‚Prosakomödie‘ ‚Grieche sucht Griechin‘; das Stück ‚Der Besuch der alten Dame‘ ist in Arbeit.

1956 Es entstehen ‚Die Panne' (Hörspiel) und ‚Abendstunde im Spätherbst' (Hörspiel); das Stück ‚Romulus der Große' erhält u. a. einen neuen Schluß (2. Fassung).

1957 Nach dem Drehbuch zum Film ‚Es geschah am hellichten Tag' schreibt Dürrenmatt als Gegenentwurf den Roman ‚Das Versprechen'.

1958 Aus einer Ode (Auftragsarbeit für Zürich) wird das Gangsterspiel ‚Frank V.' (zusammen mit Paul Burkhard).

1959 Dürrenmatt erhält in Mannheim den Schillerpreis und benutzt seinen Vortrag über Schiller, um sich gegen Brecht abzugrenzen.

1960 Arbeit an einem noch unpublizierten Roman ‚Justiz'; ‚Frank V.' erhält einen neuen Schluß; der ‚Mississippi' wird als Drehbuch neu geschrieben (‚Etwaige Ähnlichkeiten mit einem gleichnamigen Stück eines gleichnamigen Autors wären rein zufällig').

1961 Arbeit an ‚Die Physiker'.

1962 Dürrenmatt schreibt ‚Herkules und der Stall des Augias' als Festspiel für seine Landsleute neu, die jedoch von dem Mist nichts wissen wollen (März 1963 aufgeführt).

1963 Fürs Kabarett schreibt Dürrenmatt den Text zur szenischen Kantate ‚Die Hochzeit der Helvetia mit dem Merkur'; als weitere Herausforderung an die Schweizer entstehen die Zeichnungen zum Band ‚Die Heimat im Plakat'.

1964 Beginn der Arbeit an einem der Hauptwerke, ‚Der Meteor'.

1965 Fortsetzung der Arbeit am ‚Meteor'; erste Beschäftigung mit dem Stoff zum ‚Sturz', der 1971 ausgeführt und publiziert wird.

1966 Das Erstlingsdrama ‚Es steht geschrieben' erhält seine Komödienfassung unter dem Titel ‚Die Wiedertäufer'. Emil Staiger vermißt in der modernen Literatur die sittliche Gesinnung; Dürrenmatt schweigt.

1967 Dürrenmatt redet unter dem Titel ‚Varlin schweigt'; er wirft Staiger die Vermengung von Kunst und Politik (Gesinnung) vor; Beginn der Arbeit an ‚Portrait eines Planeten'.

1968 Der allgemeinen Politisierung folgend, hält Dürrenmatt vor Studenten in Mainz den ‚Monstervortrag über Gerechtigkeit und Recht' und plädiert für eine Trennung von Kunst und Politik; in Basel beginnt die Theaterarbeit mit Düggelin; Dürrenmatt bearbeitet Shakespeares ‚König Johann'.

1969 Dürrenmatt bearbeitet für Basel Strindbergs ‚Totentanz' als Spiel: ‚Play Strindberg'; als Mitherausgeber zeichnet er für die Wochenzeitung ‚Zürcher Sonntags-Journal' und beteiligt sich so an der Öffentlichkeitsarbeit kritisch. Der Fortgang der Basler Theaterarbeit wird durch eine schwere Erkrankung im April und durch interne Differenzen fragwürdig; im Oktober wendet sich Dürrenmatt enttäuscht vom ‚Basler Experiment' ab; als er den ‚Großen

Literaturpreis der Stadt Bern' erhält, benutzt Dürrenmatt den Anlaß, sich von den Preisverleihern und ihrer Kulturpolitik abzusetzen; er empfiehlt den Schweizern statt Wilhelm Tell den Revolutionär Samuel Henzi als Vorbild (Höhepunkt des politischen Engagements).

1970 Fortsetzung der Arbeit an ,Portrait eines Planeten'; weiterhin für Zürich Bearbeitung und Inszenierung des ,Urfaust' als Liebesgeschichte eines alten Herrn und die Bearbeitung von Shakespeares Erstling ,Titus Andronicus' für Düsseldorf als rüdes Mörderspiel, das vom Publikum abgelehnt wird, weil es sich nicht an zeitgenössische Politik erinnert fühlen möchte.

1971 ,Der Sturz' wird geschrieben und publiziert, bleibt im deutschsprachigen Raum ohne Nachhall.

1972 Arbeit an der Komödie ,Der Mitmacher'; Dürrenmatt inszeniert in Zürich Büchners ,Woyzeck'.

1973 Den Mißerfolg, den die Aufführungen des ,Mitmacher' nach sich ziehen, benutzt die Kritik, Dürrenmatt als ,überholt' einzustufen. Dürrenmatt zieht sich enttäuscht von der Theaterarbeit an den Schreibtisch zurück und hofft, daß die Zeit seine Stücke einholen wird.

1974 bis 1975 Dürrenmatt verfaßt ein umfangreiches Nachwort zum ,Mitmacher' und schreibt einen Israelessay sowie Stoffe. ,Zur Geschichte meiner Schriftstellerei'. Arbeit an einem neuen Stück.

# AUTORENBÜCHER

### Heinz F. Schafroth: Günter Eich
155 Seiten. Paperback (Band 1)

Es gibt nur wenige Arbeiten über das Gesamtwerk Günter Eichs. Heinz F. Schafroth, der als Literatur- und Theaterkritiker tätig ist, interpretiert Eichs lyrisches und prosaistisches Werk auf einleuchtende Weise. Er vermittelt Zusammenhänge, wo es disparat, Differenzierungen, wo es gleichartig erscheint.

### Hans Wagener: Siegfried Lenz
143 Seiten. Paperback (Band 2)

Hans Wagener, Professor für Deutsch an der Universität von Californien in Los Angeles, analysiert in diesem Buch vorurteilslos und kritisch sämtliche Erzählungen, Romane und Theaterstücke von Siegfried Lenz und stellt sie in den formalen, inhaltlichen und historischen Zusammenhang, der ihre Position innerhalb der Geschichte der Nachkriegsliteratur erklärt.

### Jan Knopf: Friedrich Dürrenmatt
173 Seiten. Paperback (Band 3)

Jan Knopf, Akademischer Rat an der Universität Karlsruhe, erfaßt das dramatische Werk Friedrich Dürrenmatts als eine literarische Einheit aus einem Denken, das von der Philosophie ebenso wie von Theologie und Malerei bestimmt ist.

### Alexander Stephan: Christa Wolf
144 Seiten. Paperback (Band 4)

Alexander Stephan, Assistenzprofessor für deutsche Gegenwartsliteratur an der Universität von Californien in Los Angeles, gibt eine Einführung, in das erzählerische Werk von Christa Wolf. Sie gehört zu den interessantesten Autoren jener mittleren Generation der DDR, die der deutschen Literatur neue Sehweisen vermittelt hat: unkonventionell, sensibel und pragmatisch zugleich.

### Verlag C. H. Beck
### Verlag edition text & kritik

Heinz Ludwig Arnold
Gespräche mit Schriftstellern

Max Frisch, Günter Grass, Wolfgang Koeppen,
Max von der Grün, Günter Wallraff
1975. 243 Seiten. Paperback
(Beck'sche Schwarze Reihe, Band 134)

Positionen des Erzählens
Analysen und Theorien zur deutschen Gegenwartsliteratur
Herausgegeben von Heinz Ludwig Arnold und Theo Buck
1976. 218 Seiten. Paperback
(Beck'sche Schwarze Reihe, Band 140)

Kurt Batt
Revolte intern
Betrachtungen zur Literatur in der
Bundesrepublik Deutschland
1975. 227 Seiten. Paperback (Edition Beck)

Jürgen Schramke
Zur Theorie des modernen Romans
1974. 196 Seiten. Paperback (Edition Beck)

Dietrich Weber
Theorie der analytischen Erzählung
1975. 202 Seiten. Paperback (Edition Beck)

Erich Franzen
Formen des modernen Dramas
Von der Illusionsbühne zum Antitheater
3., unveränderte Auflage 1974. VII, 182 Seiten.
Paperback (Beck'sche Schwarze Reihe, Band 16)

Verlag C.H.Beck München

# edition text + kritik

**Herausgeber**
Heinz Ludwig Arnold

**Redaktionskollegium:**
Jörg Drews,
Helmut Heißenbüttel,
Horst Lehner.

**TEXT + KRITIK**
erscheint mit vier
Nummern im Jahr

Zu beziehen durch
jede Buchhandlung.